Maintenant, appelez-moi Rita !

Catherine Sarraf

Maintenant, appelez-moi Rita !
Roman

LE LYS BLEU
ÉDITIONS

1
Deux gendarmes font une surprenante découverte !

Le questionnement sur ses origines la saisit dès son réveil. Alors, dans l'espoir de trouver enfin une réponse, elle parcourt inlassablement chaque recoin de la petite ville.

Il fait une chaleur du diable. Une mince fille brune marche tête baissée dans l'unique rue en pente de K.

Ses cheveux bruns lui collent au front. Agacée, elle les repousse en arrière. « Ils sont trop épais, pense-t-elle. Je vais les couper. »

Deux skateurs passent en dévalant la pente.

Au passage, ils lui hurlent quelque chose qu'elle entend à moitié. Elle accélère le pas…

Les garçons se sont arrêtés. Ils l'attendent au bas de la rue, appuyés contre un mur. Ce sont deux petits c... qui la harcèlent au collège.

— Salue, La chèvre aux yeux verts ! Où sont tes cornes ? Tu nous fais téter ton lait, vilaine chevrette ? se moquent-ils.

Elle les foudroie de son étrange regard vert.
Mais leurs moqueries font monter en elle une rage impuissante.
Exaspérée, elle se repasse l'histoire de sa vie, dans un flash-back qui lui noue les tripes.

C'était il y a douze ans à K., une petite ville du Sud-Ouest.

Nous sommes le vingt septembre deux mille vingt. Deux gendarmes font leur ronde matinale en discutant du match de foot de la veille.

Ils s'arrêtent pour écouter. Une chèvre bêle à fendre l'âme.

Le plus âgé, l'adjudant Vincent, un grand type à la barbe rousse, se tourne vers son coéquipier.

— Ça vient de chez Seguin.

— On dirait bien ! Le mois dernier, le vieux a eu le culot de dire que sa chèvre était mieux élevée que mon chien. Il pisse sur son mur, paraît-il.

— Ses neveux l'ont mis à l'EHPAD, le vieux.

— Alors, on ferait mieux d'aller voir…

Effectivement, la maison de monsieur Seguin est fermée. Ses volets sont clos. Pourtant au fond du jardin, une chèvre blanche bêle tristement.

L'adjudant saute par-dessus le portail et s'approche.

La bête tourne vers lui des yeux humides, presque humains. Le gendarme s'accroupit pour la caresser et il aperçoit, enfoui sous l'animal, un petit tas de vêtements.

— C'est pas possible ! Ramène-toi, Tony !

Le brigadier s'agenouille près de son chef et s'exclame :

— Une gosse !

Ils repoussent la chèvre pour voir l'enfant. La petite, sans se réveiller, se pelotonne contre le ventre de l'animal. Des sanglots silencieux secouent son petit corps.

L'adjudant n'en revient pas, il chuchote un peu ému.

— Elle tète son pouce.
— Quel âge, elle peut avoir ? demande le brigadier.
— Deux ans, trois, maximum. Faut la récupérer en douceur !
— Prends-la, Vincent, t'as l'habitude avec ta fille.

Tout doucement, l'adjudant barbu prend l'enfant dans ses bras, mais en le voyant, elle se réveille et se met à hurler.

— Tu lui as fait peur avec ta barbe. Donne-la-moi.

La fillette épouvantée et hurlante passe dans les bras du brigadier et l'adjudant en profite pour téléphoner à son supérieur.

Tony essaie de calmer la petite en lui demandant gentiment :

— Comment tu t'appelles, ma puce ?

Elle lui tourne le dos en hoquetant :

— Mon doudou ! Mon doudou rouge !

Un bout de tissu rouge effiloché sort à moitié de la poche de son pantalon.

— C'est ce chiffon rouge tout abîmé, ton doudou ? Tiens, le voilà !

La petite s'empare du chiffon un peu crasseux et se caresse la figure avec. Elle est inconsolable et les larmes coulent sur ses joues sales.

— Arrête de pleurer, petiote, et mouche ton nez. Si tu t'arrêtes, je te donnerai un bonbon quand on sera à la gendarmerie.

Au mot bonbon, la petite s'arrête instantanément...

— Tu vois, Vincent ! Je me débrouille pas mal avec les demoiselles, qu'a dit le commandant ?
— De la ramener rapidement mais de laisser la chèvre là où elle est, y a pas sa place à la gendarmerie.
— Il se fout de nous, le commandant Brio ! On n'est pas idiots tout de même !

Puis outrepassant les ordres, les deux gendarmes donnent un coup de fil à la S.P.A. pour qu'on vienne récupérer la chèvre qu'ils ne peuvent se résoudre à abandonner.

Ensuite, ils rentrent à la gendarmerie, la petite juchée sur les épaules du brigadier. Elle a son doudou à la main.

2
Découverte d'étranges initiales brodées

Le commandant les attend dans son bureau. Il a consulté le fichier des disparitions sur la région :

— Aucune disparition d'enfant n'a été signalée, déclare-t-il.

Il regarde la petite pelotonnée dans les bras du brigadier. Elle serre contre elle son chiffon mouillé de larmes :

— C'est vous qui avez donné ce torchon à la gosse ?

— Mais oui, chef, c'est son doudou ! Y'a eu que ce bout de chiffon et la promesse d'un bonbon pour la faire taire.

— Je me fiche que ce soit un doudou ou un torchon, messieurs ! Avez-vous remarqué les lettres brodées sur ce tissu ?

— On n'a rien vu. Elle hurlait tellement !

— Bon sang, messieurs ! Ce sigle S.N.P. brodé, ça ne vous dit rien ?

— Ben non, chef !

— Mais nom d'un chien, votre formation sur l'identité des personnes date de moins d'un mois. À quoi sert de vous envoyer en formation ?

— Ça y est, chef ! Ça me revient ! Le sigle S.N.P. signifie « Sans nom patronymique ».

— Exactement ! Qu'en concluez-vous, adjudant Vincent ?

— Euh ! J'sais pas trop, j'hésite.

— Ce n'est pas compliqué tout de même ! Si la gamine n'a pas de nom, c'est une Sans nom patronymique.

— Bien vu, chef ! D'ailleurs, quand je lui ai demandé comment elle s'appelait, elle m'a carrément tourné le dos et elle a chialé encore plus fort.

— T'as raison, Vincent, elle t'a tourné le dos. Pas très polie, la môme ! Mon commandant, on pourrait la coffrer pour outrage, ha ha !

Pour achever le rapport sur leur découverte, les hommes expliquent à leur supérieur que sur le chemin du retour, la gosse n'arrêtait pas d'émettre une sorte de bêlement pour appeler la chèvre. Alors, ils l'ont surnommée Chevrette.

— S.N.P. ! Elle n'a pas de pot, cette gamine, soupire le brigadier.

Pour finir, l'adjudant demande sérieusement à son commandant :

— Et si on l'appelait Chevrette le temps de l'enquête ?

— Allons-y pour Chevrette... Ce qu'il faut, c'est retrouver rapidement ses parents.

Dans la foulée, le commandant informe les services sociaux. Ils sont chargés de prendre l'enfant en charge et de la placer dans une pouponnière de transit.

Le directeur de l'aide à l'enfance vient lui-même récupérer la petite à la gendarmerie.

Le commandant a déjà travaillé avec lui sur des dossiers compliqués. C'est la raison pour laquelle il lui montre le doudou brodé.

L'homme observe longuement le teint foncé et les yeux clairs de la fillette.

— On dirait une petite gitane. Comme moi d'ailleurs ! plaisante-t-il.

Et il parle pour la première fois de ses origines tsiganes pour avancer une surprenante hypothèse : le respect d'une coutume ancestrale.

Pour lui, la maman serait une Tsigane éloignée de sa communauté et déclarée SNP par l'état civil.

Elle n'a pas pu donner de nom à sa fille. En effet quand une Tzigane accouche loin de sa communauté, elle attend d'y revenir pour prénommer son enfant.

En attendant son retour, elle aurait brodé les trois lettres SNP sur le doudou comme une signature, mais l'abandon de sa jolie petite fille est vraiment étrange,

« Souhaitons que cette maman soit toujours vivante, soupire-t-il avant d'emmener Chevrette. »

Le mystère s'épaissit avec cette hypothèse de gens du voyage. Comment retrouver une mère itinérante et sans identité définie ?

3
Une enquête difficile s'annonce

Le lendemain de la découverte, l'adjudant arrive à la gendarmerie, un journal à la main.

— Regardez, chef.

Le journal du coin fait sa Une en gros caractères :

**Enfant trouvée, surnommée Chevrette,
cherche parents désespérément.**

Furieux, le commandant interroge :

— Qui a parlé à ce journaliste ? Votre équipier ?
— C'est possible, mon commandant ! Le journaliste est un copain à lui.
— Le brigadier aurait dû me demander l'autorisation de parler. Je passe l'éponge, mais plus un mot au journaliste. Compris !
— Compris, chef ! Autre chose. Y'a un couple à l'accueil suite à l'annonce.
— Envoyez-les-moi puis filez à la mairie et à la maternité. Vous consulterez l'état civil des trois dernières années. Cherchez une enfant née de mère ayant accouché sous X.

L'adjudant fait signe au couple de quinquagénaires d'entrer. Le mari, un gros homme massif au visage rougeaud déclare à peine entré dans le bureau :

— On veut accueillir l'enfant trouvée.

— Qui vous a raconté qu'elle allait être placée dans une famille ?

L'homme rétorque d'un ton sec :

— Nous avons été famille d'accueil pendant des années. Nous connaissons les procédures de placement.

Le commandant a très envie d'envoyer bouler ce type arrogant. Il a autre chose à faire. Pourtant il lui explique calmement que la gendarmerie est uniquement chargée de l'enquête.

— Le juge avec l'Aide à l'enfance, choisira la famille d'accueil, si c'est nécessaire.

— Mais, insiste la femme, nous habitons K. et la fillette a été trouvée sur notre commune.

— J'informerai le juge de votre requête, termine le commandant agacé de cette insistance.

Sur ce, il les invite à quitter les lieux.

Il convoque ensuite toute la brigade de gendarmerie car il faut faire très vite. Plus le temps passe, moins il y a de chance de mettre la main sur les parents.

C'est une chose bien connue dans les disparitions d'individu. Chaque minute compte !

Les hommes planchent sur les indices et établissent une liste.

o L'abandon semble récent car la fillette est en parfaite santé ;

o La petite réclame sans arrêt la chèvre en bêlant. Celle-ci a dû lui servir de nourrice ;

o Les liens avec l'animal sont avérés car la gosse empestait la chèvre ! Après son départ, la gendarmerie a eu besoin d'une longue aération ;

o Un interrogatoire spécial de la biquette avec l'assistance d'un vétérinaire serait souhaitable ;

o Une visite à monsieur Seguin est nécessaire et urgente à faire vu son âge.

Après le débriefing, les gendarmes partent sur le terrain.

L'enquête est ouverte…

4
Le mystère sur les origines de Chevrette s'épaissit

Pendant des mois, l'enquête piétine. Il n'y a pas l'ombre d'une vraie piste.

Pas de gens du voyage aux alentours.

Aucune femme n'a accouché sous X à la maternité de K.

Aucun bébé n'a été déclaré abandonné dans les registres de l'état civil.

Dans les environs de la maison de monsieur Seguin, personne n'a remarqué d'inconnue avec enfant.

Le problème majeur pour l'avancement de l'enquête est la méfiance des habitants.

Les enquêteurs se heurtent partout à la peur de parler...

« Vaut mieux pas trop s'occuper de ce que font les voisins », remarque une femme interrogée pour l'enquête.

Mais une drôle de rumeur circule au sujet de la chèvre.

Elle serait partie un jour dans la montagne, puis revenue grosse, un beau matin avec un foulard rouge autour du cou.

Le pauvre monsieur Seguin a complètement perdu la tête. Les gendarmes n'ont rien pu en tirer.

L'enquête piétine et les rumeurs enflent. Les fantasmes des habitants se réveillent...

Au bar du coin, on évoque à voix basse une jeune femme voilée qui apparaîtrait derrière les ruines de l'orphelinat de K.

Mais rien ne se vérifie et les parents de la fillette restent introuvables.

Au bout de plusieurs mois de recherches infructueuses, une décision de justice donne un état civil temporaire à l'enfant trouvée.
La fillette est reconnue S.N.P. Sans Nom Patronymique. Ce sigle est inscrit sur ses nouveaux papiers d'identité.

Un an plus tard, l'affaire Chevrette est classée...

À la fin du dernier débriefing, le commandant soupire :

— Toute sa vie, cette pauvre petite va s'interroger sur son identité !

Il ajoute avec un brin d'humour :

— Il lui reste le prénom de Chevrette, souhaitons qu'il ne lui cause pas trop de problèmes !

L'adjudant Vincent demande gêné :

— Où est-elle à présent, la petite ?
— Elle a été placée chez le couple de quinquagénaires. Ce sera sa famille d'accueil jusqu'à sa majorité.
— Le type n'avait pas l'air commode, remarque le brigadier.

Le commandant hausse les épaules avec lassitude. Son équipe a fait son possible mais on ne peut pas tout résoudre.

Le soir, chez lui, il ne peut s'empêcher d'évoquer l'affaire devant sa femme et ses deux fils. Il a honte de son échec...

— Je continuerai les recherches en solo, leur assure-t-il.

Le juge a clos le dossier mais si un jour, un fait nouveau apparaissait, on le rouvrirait.

La petite fille, dotée du prénom de Chevrette va commencer sa nouvelle vie dans la petite ville de K.

Quant à la chèvre, elle s'est échappée du refuge de la S.P.A. et a certainement regagné la montagne.

5
Une malheureuse enfant trouve une protectrice

Depuis toutes ces années, Chevrette vit dans la petite ville de K. Aujourd'hui, l'adolescente va sur ses treize ans. La famille d'accueil dans laquelle elle a été placée est loin d'être géniale. La femme n'est pas vraiment méchante mais elle crie beaucoup, quant à son mari, c'est un homme violent.

Chevrette est élève au collège Albert Camus. Elle est très solitaire. Son unique ami est un journal intime auquel elle confie ses pensées, ses rêves et les histoires qu'elle invente.

Elle passe ses heures libres au CDI du collège. Les livres sont son meilleur refuge... Elle les dévore, les petits, les gros, les drôles, les tristes...

Elle n'aime pas beaucoup la documentaliste du collège qui la regarde toujours de haut.

Cette femme au regard glacial et au carré impeccable semble n'avoir aucune attirance pour son métier ni pour les élèves en général. On a l'impression de la déranger lorsqu'on veut emprunter un bouquin.

Aujourd'hui, nous sommes le 22 juin, c'est le deuxième jour des vacances.

Chevrette a l'âme en berne. Le collège et son CDI sont fermés et elle n'a pas d'amie. Alors le questionnement sur son identité revient au premier plan de ses préoccupations.

Elle revoit les deux skateurs qui se sont moqués d'elle dans la rue et des idées noires l'envahissent. Le chagrin la submerge, les larmes jaillissent. Elle en verse tant que trois moulins à eau pourraient tourner !

Puis l'adolescente se secoue. Elle arrête de s'apitoyer sur son sort. Elle prend son journal et file dehors…

La voilà qui court vers son lieu de prédilection à la sortie de K.

Elle s'assied sur des marches en pierre menant à une jolie statue de bois peint et là elle rêve à l'avenir.

Derrière la statue, le bâtiment noirci de l'orphelinat de K allonge son ombre.

Les habitants de la petite ville prétendent que cet endroit est maudit et les jeunes de son âge évitent de se balader dans le coin.

Utilisant cette crainte, la municipalité a vendu le terrain à un promoteur. Bientôt, une supérette prendra la place de l'orphelinat.

À l'inverse de la population, l'adolescente aux yeux verts apprécie l'étrangeté du lieu et la beauté de la statue de bois sculptée au Moyen Âge par une artiste italienne.

Il y a quelque temps, Chevrette a apporté un pinceau et un chiffon pour nettoyer l'œuvre d'art. Elle a toujours été la seule à faire l'entretien car aucun habitant de K ne se risque jusqu'à l'orphelinat.

Par contre, ils comprennent que la fillette aime cet endroit car tout le monde connaît sa pathétique histoire.

Chacun estime que son attachement à la statue est naturel. Sainte Rita n'est-elle pas la patronne des causes difficiles ou désespérées ?

La fillette est tranquille lorsqu'elle va à l'orphelinat, Les garçons harceleurs ne la suivent pas…

C'est pendant une visite aux archives départementales qu'elle a découvert la légende de sainte Rita.

Ce deuxième jour de vacances, l'adolescente désœuvrée prend son journal et se confie.

Elle raconte l'histoire d'une enfant trouvée à K et nommée Rita.

Son stylo file sur les pages…

6
Un journal intime tient lieu de meilleur ami

Lundi 22 juin

Il fait chaud et je me suis installée à l'ombre de la statue pour écrire l'histoire d'une petite fille née au début du vingtième siècle.

Par une douce nuit de septembre 1929, un bébé est exposé sur les marches d'une église. Le curé de la paroisse la recueille, puis la confie à l'orphelinat de K. Les sœurs baptisent l'enfant du nom de Rita, comme la sainte italienne. L'enfant restera à l'orphelinat jusqu'à ses neuf ans...

À neuf ans, la petite est placée comme servante chez des fermiers alliés au maire de la ville. Ces gens maltraitent et affament l'enfant. Un jour, petite Rita a tellement faim qu'elle vole la nourriture des cochons : des croûtons de pain dur. Elle les cache dans son tablier.

On s'aperçoit du vol. La fermière furieuse ouvre le tablier de la fillette terrorisée. Heureusement, des brassées de roses en tombent. Les fleurs ont pris la place des croûtons de pain. Petite Rita est sauvée !

Dans la ville de K., l'histoire se répand comme une traînée de poudre, on crie au miracle.

Cependant, peu de temps après, l'enfant meurt sous les coups du fermier.

Pour racheter ce crime odieux, les frères du meurtrier achètent en Italie la statue de sainte Rita datant du Moyen Âge. La mairie la fait placer devant l'orphelinat.

L'orphelinat brûle à trois reprises. Les deux premières fois, on le reconstruisit.
Mais quand il brûle pour la troisième fois, la municipalité l'abandonne aux orties et aux ronces.

Étrangement, la statue est chaque fois épargnée par le feu !
Aujourd'hui, elle se dresse toujours devant les ruines. Drapée dans un voile peint en rose, Rita porte un tablier plein de fleurs.

J'adore cette statue. Elle me fait du bien quand je la regarde.
J'aimerais tellement m'appeler RITA, comme elle.
Voilà, mon cher journal, tu connais l'histoire des Rita.
Maintenant, je te laisse. Le travail de nettoyage de ma statue n'attend pas.

7
Une sculpture de bois dotée d'étranges pouvoirs

Le soleil commence à se cacher derrière les ruines.

Chevrette ferme son journal et prend pinceau et chiffon. Elle doit être prudente car la statue très ancienne est fragile.

Les fines fleurs sculptées du tablier sont poussiéreuses et leurs couleurs sont de moins en moins vives. Chevrette est la seule à s'en soucier.

Elle passe le chiffon pour redonner un peu d'éclat à la peinture. Elle frotte doucement le bois patiné puis promène le pinceau sur chaque fleur, une à une. Un insecte mort gît au cœur d'une rose. Elle essaie d'enlever le moucheron... Un des pétales se détache.

Prise de panique, elle glisse le pétale dans son journal pour ne pas le perdre.

À présent, le soleil a complètement disparu et elle doit rentrer, sinon gare à elle.

Sa nourrice n'est pas tendre, rien à voir avec une vraie maman. Quand l'adolescente traîne un peu, la femme hurle à la fenêtre :

— Ramène tes fesses, La Chèvre ! Sinon tu prends une raclée !

Parfois en public, elle l'appelle plus gentiment Chevrette.

Pour ne pas se faire disputer, l'adolescente rentre à toute vitesse, son journal serré contre elle.

Une fois dans sa chambre, elle l'ouvre pour regarder le pétale.

Il a disparu mais son empreinte s'est imprimée sur une des pages.

Étonnée, elle effleure la trace bleue. Au bout de ses doigts monte une chaleur insupportable. Des picotements traversent sa main gauche, puis un tatouage léger se dessine sur sa peau. L'empreinte du pétale ! Elle frotte, la trace bleue ne s'efface pas.

Dans la salle de bains, elle se lave les mains frénétiquement. Rien n'y fait…

Troublée par ce curieux phénomène, elle a du mal à trouver le sommeil.

Quand elle s'endort enfin, un étrange appel la réveille.

« Rita ! Rita ! »

Alors pour ne pas perdre pied, elle prend son journal et écrit…

Mardi 23 juin

Mon cher journal,

Il est une heure du matin mais j'ai besoin de partager avec toi les idées qui me hantent. Je pense que je suis un être marqué par le destin. Je suis l'héroïne d'une situation qui me dépasse. Aujourd'hui, un pétale brisé a tatoué de bleu ma main gauche.

J'ai froid, j'ai peur ! Peu avant minuit, il m'est aussi arrivé un truc pas croyable. Je venais de m'endormir, quand un appel m'a réveillée. Une voix chuchotait : Rita, ma petite Rita ! Viens ! J'attends !

La voix désincarnée était douce et terrifiante à la fois, venant de l'au-delà. Un souffle chaud a effleuré ma joue...

J'ai voulu crier, aucun son n'a franchi mes lèvres. J'étais paralysée, incapable de me lever.
Quand j'ai réussi à m'asseoir, j'étais à la fois glacée et en sueur. J'étais devenue bizarre comme si un fantôme m'avait traversée.

Mon cher journal, que m'arrive-t-il ? Ma vie est super compliquée ! Les mêmes questions me tourmentent sans cesse...

Qui suis-je ? Qui est ma mère et où est-elle ? Quel est mon nom ?

Mon histoire ressemble trop à celle de l'enfant trouvée morte à neuf ans et nommée Rita.

Suis-je sa réincarnation comme l'héroïne de mon manga préféré ?

Je te laisse car le sommeil revient... Demain sera un autre jour.

Chevrette ferme son journal et se rendort... La main gauche refermée sur le tatouage.

Le signe du pétale, un léger tatouage bleu sera-t-il un auxiliaire magique dans la quête de ses origines ?

8
Un livre fait des siennes

Le lendemain matin, elle se lève pleine d'énergie : il faut retrouver le pétale pour le recoller sur la rose.

En enfilant un tee-shirt blanc pris dans la commode, elle voit tous ses doigts gauches tatoués de bleu.

Cinq minuscules pétales sortis pendant son sommeil sont gravés sur sa peau.

L'étrangeté de la situation la fait à peine hésiter. Sans faire attention, elle attrape son journal, le glisse dans son sac à dos et sort le ventre vide.
Elle veut retrouver le pétale brisé.

Mais il n'y a rien sur le chemin emprunté la veille.

… Arrivée à la statue, elle regarde le tablier de Rita.

Tous les pétales sont là, intacts, parfaitement ciselés et aussi jolis qu'avant.

Le pétale brisé a retrouvé le cœur de sa rose et les couleurs des fleurs sont ravivées. Qui a terminé le nettoyage de la statue ?
Voilà une grande merveille, un prodige incroyable qu'il convient de confier à son cher journal.

Elle cherche en vain celui-ci car dans sa précipitation, le journal est resté dans sa chambre. Elle s'est trompée. Elle a pris un livre à la place de son confident de papier.

Un gros livre qui lui tend ses pages.

Ce roman emprunté au CDI, elle ne l'a toujours pas commencé. Sa main hésite comme si ce bouquin allait la brûler.
Le titre est écrit en lettres énormes : *Le Bout du Monde.*
Tout un programme, pour elle qui n'a jamais voyagé.

Les souvenirs de sa découverte remontent...

L'épais ouvrage servait de cale à une étagère bancale. Le titre aux lettres rouges dépassait. Elle a soulevé l'étagère et a ramassé le livre.
La couverture était poussiéreuse. Quand elle a essuyé le titre, des frissons l'ont parcourue de la tête aux pieds. Une grande fatigue l'a envahie tandis qu'une étrange impression de déjà-vécu la submergeait.
Elle avait déjà feuilleté ces pages, il y a très longtemps et elle était une autre.

Puis, les sensations bizarres ont disparu. Elle s'est secouée chassant ce qui lui restait de fatigue. Elle est allée vers la documentaliste pour lui montrer le livre.
Celle-ci a fait une drôle de tête, sa bouche s'est pincée devant cette trouvaille poussiéreuse.

Elle a déclaré d'un ton autoritaire et mécontent :

— Vous ne prenez pas ce genre d'ouvrage d'habitude. Pensez-vous que votre choix est judicieux ? Je vous suggère de prendre un titre plus récent et plus à votre portée.

À cause de ces remarques vexantes, l'adolescente a décidé de garder *Le Bout du Monde*.

La documentaliste revêche a paru très contrariée, puis finalement, elle a dit à voix basse, la fixant intensément dans les yeux :

— Si c'est votre choix définitif, je m'incline.

Mais, chose étrange, avant d'enregistrer l'ouvrage, elle a ouvert un tiroir, elle a pris dans le tiroir des gants noirs très fins, elle a enfilé les gants, elle a débouché une bombe aérosol, elle a saisi le livre, elle a vaporisé sa couverture avec la bombe aérosol, puis elle a murmuré :
« La consigne ! C'est la consigne. »

Ensuite, d'une main qui tremblait, elle lui a tendu l'énorme roman et elle a dit en détachant bien les mots :

— Faites attention, jeune fille... à ce livre... et à vous également !

Inquiétée par les paroles de mise en garde de la documentaliste, Chevrette n'a pas encore osé ouvrir ce livre.

Mais à présent qu'un curieux hasard a mis *Le Bout du Monde* dans son sac à dos, elle n'hésite plus...

9
Un livre s'anime et un petit bonhomme entre en scène

Elle pose le gros roman sur ses genoux et l'observe sans faire un geste.

Au moment où elle se décide à le prendre, une force contraire repousse ses mains. Avec effroi, elle voit ses tatouages former des excroissances. Les doigts tatoués clignotent alternativement en bleu, puis en noir.

On croirait des filaments doués de vie. Son corps se fige. Une gangue l'enserre. Seuls ses yeux bougent encore. Ils observent détachés le phénomène lumineux en action.

Ce regard vivant dans un corps de pierre se pose sur la première de couverture : des enfants blancs, bruns, jaunes ou rouges font une ronde sur fond noir.

Voilà que sa main gauche s'élève guidée par un fil invisible, marionnette de chair, elle balance un instant puis touche la ronde avec ses doigts tatoués. Pris de folie, la ronde tourne follement. Fondu enchaîné... Il ne reste des enfants qu'un disque couleur arc-en-ciel sur un fond noir nuit.

La marionnette s'affaisse et l'enchantement cesse,
La ronde s'est reformée sur la couverture cartonnée.

La lectrice se secoue... A-t-elle rêvé ?

Elle va attaquer la première page quand une petite voix l'interroge :

— Comme ça, tu l'as trouvé ?

Elle lève les yeux. Un petit garçon déjà aperçu à l'école primaire la dévisage. Ce petit blond tout mignon, planté devant elle, l'interroge à nouveau :

— Alors tu l'as trouvé ! Et il poursuit. Mon grand frère Paul tenait beaucoup à son livre puis pschitt... il est parti mon frère, comme ça !

Le gosse agite les mains, mimant un oiseau qui s'envole et sur ces entrefaites, il tourne les talons et part en courant vers la ville.

Elle est étonnée qu'un si petit garçon s'intéresse à un si gros livre mais comme il lui arrive tellement de choses surprenantes, les paroles du gamin n'ont pas vraiment d'importance.

Pourtant, elle commence à se sentir mal à l'aise dans ce coin isolé près des ruines maudites. Alors elle part en courant, en se retournant de temps en temps pour voir si elle n'est pas suivie.

À la maison, elle prend son journal et écrit...

Mardi 23 juin, après-midi

Il est déjà 16 h.

Figure-toi, mon cher journal, que tout à l'heure un petit garçon de l'école primaire est venu me voir. Il m'a même parlé.

C'est très rare qu'un enfant de K. m'adresse la parole. D'habitude, ils se regroupent pour se moquer de moi et bêlent quand je passe près d'eux.

Ce gamin, je l'avais repéré dans la cour de son école. Comme je suis souvent seule, je passe mon temps à regarder du côté de l'école pendant les récrés.

La cour de mon collège en est séparée par un grillage. Souvent, je m'y appuie et j'observe les jeux des petits.

J'avais déjà remarqué ce blondinet avec dans le regard quelque chose de triste. Il joue souvent à la marelle, seul dans un coin du préau.

J'ai entendu sa maîtresse l'appeler Félix.

J'ai eu envie de lui demander pourquoi il jouait toujours seul, mais je n'ai pas osé.

Une fille de mon âge qui parle à un petit, ça ne se fait pas !

Et voilà qu'aujourd'hui le petit Félix est venu dans mon refuge, près de sainte Rita. Il dit que le livre est à son frère et que son frère s'est envolé.

C'est vraiment bizarre ! Tu ne trouves pas ?

Tu sais que je ne suis pas une froussarde mais ce livre me met mal à l'aise. C'est sûr ! Il détient un secret. La ronde de la couverture a tourné sous mes doigts tatoués.

J'avais tellement envie de lire ce roman. Je ne comprends pas ce qui m'arrête maintenant. C'est tellement étrange.

« Qui ne risque rien n'a rien. » Je me lance.

Bye bye, mon journal.

Sans plus se préoccuper de sortilège Chevrette prend *Le Bout du Monde* et laisse le hasard décider de la page.

Le sort tombe sur une page illustrée avec peu de texte. Deux personnages, un garçon et une fille rousse tiennent par la main un petit aux yeux en amandes. Chevrette tourne la page mais auparavant ses doigts ont effleuré l'illustration.

Instantanément, les tatouages s'allument et clignotent, bleu noir, bleus, noirs. Les personnages s'animent. Ils lui sourient avec tendresse.

Son cœur s'accélère ; elle n'en revient pas du pouvoir de ses doigts. Sans s'attarder à ces étrangetés, elle tourne la page illustrée et commence sa véritable lecture…

Pour l'adolescente, les grandes vacances passent ainsi à lire et à rêver…

10
On parle d'un lieu nommé Le Bout du Monde

Une frénésie de lecture a saisi Chevrette. Elle en a oublié son confident. Quelques jours avant la rentrée, elle reprend son journal et elle note…

Samedi 9 septembre

Il fait toujours très beau. Par chance, les gens de la mairie n'ont pas encore emporté ma statue. Je suis assise à ses pieds et me voilà revenue vers toi. Je t'ai délaissé ces temps-ci parce que j'étais captive d'un livre étonnant.

Ça va être dur de le rapporter au CDI. Je le lis dès que j'ai un moment libre et j'imagine grâce à lui un plus bel horizon. Je l'ai presque fini. Lorsque je m'endors, les héros de cette histoire peuplent mes rêves.

L'auteur décrit un endroit idéal nommé le Bout du Monde. Les illustrations sont toutes plus belles les unes que les autres.
Il y en a une qui montre une cabane bleue perchée dans un chêne. Le prénom RITA est écrit en lettres blanches sur la porte.

Cher journal, ces lettres blanches sont pour moi un signe.

Je me souviens de la voix dans mon sommeil qui m'appelait RITA.
Rita est mon nom et maintenant, je veux qu'on m'appelle Rita.

Plus jamais personne ne se moquera en bêlant « La Chèvre ». Je
suis une nouvelle Rita.

Mon journal adoré, nous partirons bientôt chercher la maison
bleue au bout du monde. Ce sera la mienne. Je te quitte, mon ami.
Bye !

L'adolescente referme son journal et reprend sa lecture. Elle laisse tomber les textes écrits en minuscules au bas de page.

Il lui reste quelques jours pour finir le livre avant la rentrée. Alors elle dévore les pages sans perdre une miette d'une histoire pathétique.

Les trois héros, une fille et deux garçons sont des orphelins sans papiers. Ils viennent de trois pays dévastés par la guerre. Ils se sont rencontrés dans un camp en Éthiopie, abandonnés là par un passeur véreux.

Dans le camp, on les appelle le Trio Sans Nom. Amis inséparables, ils s'entraident pour survivre dans des conditions épouvantables.

Après un an passé dans le camp, ils s'évadent et partent ensemble vers l'Europe en traversant des pays déchirés par la violence.

Au cours de cette errance, les héros sont de plus en plus soudés. Ils sortent indemnes de toutes les épreuves grâce à leur amitié. Et enfin, arrive le jour où le Trio Sans Nom atteint un havre de paix, un village de rêve, le Bout du Monde.

Accueillis chaleureusement par les habitants, la chef du village leur attribue à chacun une cabane dans les arbres. Ils se choisissent une identité, un nom pour une vie nouvelle... Pendant des mois, ils vont aider la communauté du Bout du Monde à bâtir un nouveau monde loin de la guerre.

L'auteur de ce roman réaliste s'appelle Paul Brio. L'écrivain maintient le suspense tout au long de son livre. Son village idéal existe-t-il ?

Cet endroit, il ne le situe jamais mais quelques indices géographiques tiennent les lecteurs en haleine. Où est-ce ?

Au fur et à mesure de sa lecture, Chevrette se persuade que, le Bout du Monde est une réalité.

Elle en cherche la preuve au détour de chaque page. Un passage suggère que le village est à proximité de la mer.

« Les cabanes dans les arbres ont toujours résisté aux tempêtes et aux vagues même les plus violentes », lit-elle sur une page.

L'adolescente est heureuse et ses vacances s'écoulent paisiblement. Quelques jours avant la rentrée, elle ressent à nouveau l'envie d'écrire...

Alors elle ferme le livre et part à la rivière en emportant son journal.

11
Quand une date d'anniversaire
n'en est pas vraiment une !

En partant à la rivière, elle réfléchit. La rentrée approche, le collège et son CDI vont rouvrir. Elle pourrait tenter d'avoir des renseignements sur l'auteur et sur l'existence réelle ou pas du Bout du Monde. Puis revoyant la réaction de la documentaliste à l'emprunt du livre, elle se dit qu'il vaut mieux qu'elle se débrouille seule.

Brusquement, l'envie de fuir, l'idée de quitter K devient une évidence. Partir loin du collège et de ses harceleurs, loin de sa famille d'accueil malveillante et de la documentaliste revêche.

Le Bout du Monde a servi de déclencheur. Cela faisait longtemps qu'elle en avait assez de cette vie de tristesse. À présent, elle va aller vers le village idéal, celui du Bout du Monde.

Ensuite, comme chaque fois qu'elle n'est pas en grande forme, elle prend son journal.

Dimanche 10 septembre

Toujours un beau soleil mais mon cœur est à l'orage.

Je ne sais toujours pas où se trouve le Bout du monde pourtant j'ai presque terminé le livre. Je n'aime pas du tout l'idée de retrouver le collège et les moqueries.
    La seule solution que je vois pour aller mieux c'est de partir à la recherche de ma mère.

Rien ne me retient à K. pas même la statue puisqu'ils vont me l'enlever. Elle a été vendue. Elle va partir.

J'ai beau frotter, les tatouages sur mes doigts ne s'effacent pas.
Hier, quand j'ai ouvert le livre, ma main gauche a encore provoqué le sortilège. J'ai touché des illustrations, elles se sont animées. Dès que j'ai enlevé la main, ça a stoppé... et je n'ai que toi pour parler de ces fantaisies ! J'ai remarqué que toutes ces choses étranges ont débuté avec le pétale de la statue.

Autre chose de très important dans exactement dix jours, le vingt septembre, c'est mon faux anniversaire.
J'attends cette date avec impatience ! Ce jour-là, je pars... À plus, mon cher journal ! Bye.

Pendant ses derniers jours de vacances, Rita planifie sa fugue.

Le jour de la rentrée arrive. Elle ne rapporte pas le livre au CDI, et elle ne revoit pas la documentaliste. Elle ne parle à personne du Bout du Monde afin de ne pas éveiller les soupçons sur sa possible destination. Elle attend le vingt septembre avec impatience.

Dès le matin de ce jour haï par l'adolescente, la nausée s'installe et vrille son cœur. Cette date lui renvoie son identité fantoche et son âge si incertain.
Le soir, à son bureau, elle écrit fiévreusement...

Vendredi 20 septembre

Cher journal,

La nuit est presque tombée. J'ai laissé la fenêtre ouverte car il fait très doux.

Le jour J est arrivé !

Comme tu le sais, j'ai été trouvée un vingt septembre. Un juge a choisi cette date pour fixer le jour de mon anniversaire.
En principe, j'ai treize ans.

L'heure de mon départ est venue. Ma liberté est au bout du chemin.

Je veux que tu sois le premier à savoir que depuis quelques jours, je m'appelle Rita en secret. J'ai même écrit plusieurs fois mon nouveau prénom sur une copie de français. La prof a cru que je me moquais d'elle et j'ai écopé d'une heure de colle.
Je ne la ferai pas puisque je pars tout à l'heure.

Ce matin, ma nourrice est entrée dans ma chambre. Elle a posé sur le lit une photo abîmée. Ensuite, sans un mot, elle est allée rejoindre l'Autre, son mari. Elle m'avait déjà fait le coup, à la même date il y a un an.
L'an dernier, sur la photo en couleur, il y avait un garçon d'une quinzaine d'années qui portait des lunettes de soleil.

Aujourd'hui, la photo est en noir et blanc. C'est le visage d'une jeune fille aux cheveux noirs. Elle est photographiée en gros plan.

En la regardant, j'ai été prise d'un malaise. Mon cœur a battu la chamade et ma gorge s'est serrée comme quand on s'empêche de pleurer.

J'ai pris la photo et mes mains étaient crispées comme mortes. Impossible de lâcher le cliché.

Le papier glacé noir et blanc s'est plaqué sur mes tatouages.

J'ai été prise de frissons. Sur la photo, le visage de la jeune fille enflait. Il grossissait, rétrécissait, grossissait à nouveau. Une auréole a fini par le grignoter d'une lèpre verdâtre.

Quand j'ai réussi à arracher la photo de ma peau, le phénomène a cessé. La paume de ma main est restée légèrement brûlée mais la photo est redevenue un cliché ordinaire, un peu plus flou.

Je dois t'avouer quelque chose, mon cher journal, le visage sur la photo a quelque chose de familier. La jeune fille est aussi brune que moi. Est-ce ma mère ? Depuis ce matin, je fouille en vain dans ma mémoire.

Le silence autour de mon identité est tellement oppressant, tellement lourd. Je n'en peux plus de ce poids.

Toutes ces questions s'engluent dans un mutisme pesant et la colère froide du mari de ma nourrice me terrorise.

Il y a un an, le jour de mes douze ans, cet homme horrible est entré dans ma chambre. Il a pris la photo du garçon inconnu, l'a mise en miettes puis il l'a jetée dans la poubelle en ricanant.

Ce jour-là, on a pris une sacrée raclée sa femme et moi. Il n'a pas prononcé une seule parole.

Mon cher confident, le secret de mes origines m'empêche d'être heureuse. Je dois trouver d'où je viens.

Ce soir, je pars à la recherche de ma mère, du Bout du monde et de la cabane bleue de Rita. Toi, tu m'accompagnes. À nous les grandes aventures !

Elle referme son journal puis, sans bruit, fait ses bagages. Elle met dans un sac à dos, des barres de céréales, un pull chaud, la photo de son anniversaire, son journal intime et le livre *Le Bout du Monde*. Au dernier moment, elle ajoute le seul papier qu'elle ait en sa possession, une carte vitale marquée de l'infamant SNP.

Puis dès que le couple infernal s'est couché, elle se glisse discrètement dehors.

Sa course éperdue la conduit vers la statue de Sainte Rita, à laquelle elle veut dire adieu.

Mais, la stèle est vide. Il n'y a plus de statue de bois.

On a même brisé les marches de pierre sur lesquelles Chevrette s'asseyait.

Où est partie sa protectrice ? Qui l'a emportée ?

Sans plus attendre, la jeune fille en proie au chagrin part vers son destin.

12
Une adolescente part vers sa destinée...

Comme nous sommes au mois de septembre, il fait encore très doux, même en pleine nuit. Pour la première fois de sa vie, elle se sent bien.

Son plan est simple : atteindre le canal du Midi qui passe à une dizaine de kilomètres de la ville. Des péniches descendent lentement sur cette voie d'eau tranquille et Rita veut embarquer sur l'une d'elles pour atteindre la mer. Le Bout du Monde est proche de la mer a écrit l'auteur de son livre, Paul Brio. Pour ne pas se faire repérer, elle prend le chemin qui longe le cimetière. Personne n'aime passer par là à cause d'histoires terrifiantes racontées par une vieille rebouteuse.

Elle n'y croit pas vraiment, mais en pleine nuit, ces récits ont tendance à venir vous titiller l'imagination...

Pour se donner du courage, la fillette chantonne. Elle ne doit surtout pas penser aux revenants et aux feux follets qui hantent les abords du cimetière. Elle avance à grands pas, la gorge nouée par une angoisse irrationnelle, le cœur au bord des lèvres.

Soudain, elle aperçoit des lueurs vertes qui bougent sur le chemin. Son cœur bat follement, son front se couvre de sueur, elle n'ose plus avancer. Que faire ? Repartir en courant vers la maison ?
Pas question ! Plutôt mourir sur place ! De toute façon, les revenants ne peuvent lui faire pire que ce qu'elle endure dans sa famille d'accueil.

Courageusement, elle s'exhorte à repartir. Si elle dépasse les lumières vertes, c'est le salut. Son cœur cogne de plus en plus fort. Elle reprend sa chanson à voix très haute, court à toute vitesse, enjambe les lueurs vertes puis parvient au bout du mur du cimetière. Sauvée ! Elle est sauvée !

Le chemin est agréable à présent, il longe des prés qu'elle connaît bien pour y avoir cueilli des mousserons. Au milieu du sentier, elle voit encore une lueur verte, mais elle a retrouvé son calme et elle comprend que c'est une luciole. Elle s'approche, s'agenouille, ramasse le ver luisant et le garde dans la main. Il lui tiendra compagnie pour la route. La petite bête est douce et diffuse sa lumière verte vacillante. Celle-ci lui donne du courage pour affronter la forêt.

Elle n'a jamais aimé cette forêt de chênes et de sapins, pleine de ronces et de fougères. On y voit à peine, même en plein jour. Pourtant si elle veut atteindre le canal avant le matin, il faut couper par là.

Reprenant sa chanson, elle se courbe pour s'engager sous les branches qui forment un mur barrant presque le passage.

On appelle cet endroit « le Bois aux Pendus ». Une horrible légende raconte que des soldats de la jeune république ont eu les pieds tranchés avant d'être pendus aux arbres par leurs bourreaux. Les royalistes assassins ont ensuite pris leurs chaussures ensanglantées. Les souliers républicains n'ayant jamais cessé de saigner, les royalistes n'ont jamais pu les enfiler.

Tout s'est passé dans cette sapinière en mille sept cent quatre-vingt-dix. Maintenant elle doit la traverser coûte que coûte.

On dit que le Bois aux Pendus est hanté et que les personnes qui osent s'aventurer dans ses parages entendent gémir les soldats pendus.

La jeune fugueuse essaie de ne pas penser à cette horrible légende mais c'est difficile !

Dans la pénombre, il lui semble apercevoir des corps se balançant aux branches.

Alors elle court à perdre haleine pour sortir du bois. Ses vêtements s'accrochent dans des ronces, ses pieds se prennent dans des racines et elle trébuche à chaque pas… Elle n'en peut plus et doit ralentir. Un point de côté la plie en deux. Elle s'arrête pour reprendre son souffle. Les arbres sont sinistres. Un hululement plaintif, elle lève la tête vers le cri.

Deux yeux dorés la regardent du haut d'un sapin. Une chouette s'envole dans un soyeux bruissement d'ailes. La vue du rapace la rassure, car elle a toujours aimé les oiseaux. Souvent, elle se cache derrière des buissons pour les observer et les écouter chanter.

Toute ragaillardie, elle songe aux oiseaux qu'elle découvrira au cours de son voyage, et elle poursuit sa route tranquillisée.

Après deux heures de marche, elle aperçoit le canal dans le lointain. Il s'étire sous la lune, paisible, des reflets argentés brillent à sa surface. Elle accélère le pas. Arrivée près de la berge, elle s'assied, épuisée.

Les feuilles de fins bouleaux aux troncs blancs murmurent sous la brise qui s'est levée. La nuit est tiède, elle se pelotonne au pied d'un arbre puis s'endort…

13
Félix a décidé lui aussi de partir

Le lendemain à l'aube, une voix aiguë la réveille. Félix, le petit garçon blond à la marelle, Félix au regard embrumé de tristesse, Félix venu lui parler près de la statue, Félix l'observe à présent avec intérêt et lui demande :

— Tu es enfin partie de chez toi ?

Au pied du long bouleau, il paraît encore plus petit et plus fragile que dans la cour de l'école, mais il répète :

— Tu es partie de chez toi ? Je peux rester avec toi ?

Stupéfaite et encore ensommeillée, elle cligne des yeux, se lève, cherche ses mots un instant puis répond d'une voix furieuse :

— Mais qu'est-ce que tu fais là ? Laisse-moi tranquille ! Pourquoi tu te promènes la nuit si loin de ta maison ? Tu es beaucoup trop petit pour faire ça !

— Je ne me promène pas. Je suis parti DÉ-FI-NI-TI-VE-MENT ! rétorque-t-il en articulant avec soin. Et puis d'abord, je ne suis pas petit du tout, j'ai sept ans. Pour quelqu'un comme moi, c'est beaucoup.

— Qu'est-ce que tu veux dire par « quelqu'un comme moi » ? demande la fille, surprise.

— Je suis un surdoué. Hé ! Rigole pas ! J'ai passé des tests avec une psychologue ! Elle dit que je suis un haut potentiel avec un QI énorme. En gros, j'ai un âge mental de quatorze ans. Je suis donc plus vieux que toi, mademoiselle Chevrette !

— Je t'interdis de m'appeler comme ça. Fiche le camp, petit morveux, rentre chez toi.

— Pourquoi tu t'énerves ? Tout le monde t'appelle Chevrette.

— Justement ! Ce n'est pas mon nom ? Mon nom c'est Rita. Et d'abord, fiche le camp !

— Fais pas ta méchante. Je sais que tu n'es pas une fille comme les autres. Je t'ai vue à la sortie du collège avec mon livre sous le bras.

— Ton livre ?

— En vrai, ce livre est à mon frère Paul. Il l'avait prêté à la documentaliste du collège avant de s'endormir.

— S'endormir ? Comment ça, s'endormir ?

— Tu m'embêtes avec tes questions. Je pars avec toi, tu auras besoin de moi.

— Besoin de toi ? Un gamin de sept ans.

— Je t'ai déjà dit que j'avais quatorze ans. Je suis un enfant précoce. Tu es sourde ou quoi, La Chèvre ?

— Je t'ai dit de ne…

Un long mugissement de sirène retentit, interrompant leur dispute. Une péniche arrive au loin dans le soleil levant. Ses flancs sont noirs, bordés de rouge à la proue. La coque est surmontée d'un habitacle blanc avec de multiples lanterneaux brillant au soleil. La timonerie couverte d'une marquise de bois surplombe l'habitacle comme un cube géant dominant le canal.

Les enfants regardent bouche bée et pleins de crainte. Voilà un moyen de transport qui tombe à pic…

Mais oseront-ils aller à l'abordage ? Y arriveront-ils sans se faire repérer ?

Avec lenteur, creusant l'eau glauque du canal de son étrave, le bateau approche. Sa sirène mugit à nouveau comme un appel. La fille, rompant le charme, saisit son sac en disant :

— Prépare-toi, il n'en passera pas une autre de sitôt.

14
Les enfants découvrent les habitants de la péniche

Quand la péniche passe à côté d'eux, très proche de la rive, ils prennent appui sur les pneus qui servent de pare-battages le long de la coque. Ils s'accrochent au bastingage, se hissent avec effort par-dessus la rambarde, puis s'écroulent sur le pont.

Ils ont fait un bruit d'enfer en retombant. Malgré le vacarme de leur chute, nul ne se manifeste. Ils reprennent leur souffle, quand, un grand chien noir aux longs poils se précipite sur eux.

Il se jette sur Félix et lui lèche la figure. Sous son poids, le frêle Félix s'étale de tout son long puis il se relève, vexé :

— Même pas mal ! Il exagère, ce clébard, on n'a pas été présentés.

Le chien tourne autour d'eux comme une toupie, menaçant de faire de nouveau tomber le garçon. Puis il file vers l'avant du bateau, s'assied sur son derrière et aboie. Un drôle de cri lui répond.

Les deux enfants intrigués rejoignent le chien. Près d'un hamac suspendu, un bébé s'époumone rageusement. Il tète désespérément un biberon vide et de grosses larmes roulent sur ses petites joues noires.

Le grand chien se dresse sur ses pattes arrière et lèche délicatement les larmes du petit. Le bébé cesse de pleurer instantanément et tend ses petits bras dodus aux enfants.

— Un bébé seul avec un chien sur une péniche. Incroyable ! murmure Félix. Tu crois qu'il est réel ?

Pour bien montrer sa réalité, le bambin se remet à pleurer. Alors, Rita le prend dans ses bras et le berce contre elle. Il est chaud et doux comme le petit oiseau blessé qu'elle avait soigné. L'enfant pleure doucement.

— Il doit avoir faim. Descendons dans les cabines pour trouver quelque chose à lui donner, dit-elle.

D'un air décidé et comme si elle avait fait ça toute sa vie, elle récupère le biberon vide, installe l'enfant sur sa hanche et part vers l'habitacle, suivie de Félix et du chien. Ils descendent l'escalier de bois qui mène à l'intérieur de la péniche.

En bas, il y a une minuscule cuisine et deux cabines. En haut d'un autre escalier métallique, il y a la timonerie avec son poste de pilotage. Tout est dans un ordre impeccable.

Rita pose doucement le bébé sur une grande couchette et demande à Félix de le surveiller. Elle inspecte les placards. On se croirait dans la maison des trois ours de Boucle d'or, tellement c'est petit et propre.

La jeune fille récupère une bouteille de lait et du sucre.

— Dépêche-toi, rouspète Félix. Il n'arrête pas de chialer et j'ai faim moi aussi.

Sans prendre le temps de faire chauffer le lait, elle remplit le biberon. Le bébé s'en empare et ses pleurs cessent…

— Ouf ! Ça fait du bien quand il arrête de crier, dit Félix en se précipitant dans la cuisine pour chercher de quoi manger.

Il ramène une casserole à moitié pleine de haricots froids à la tomate.

Les deux enfants les engloutissent rapidement car ils n'ont rien avalé depuis la veille. Le chien les observe langue pendante.

— Le pauvre ! Il a faim. Pourtant son écuelle est pleine de croquettes.

Le chien les regarde en gémissant, puis il se tourne vers l'escalier d'un air suppliant.

— Qu'est-ce que tu veux nous dire ? Tu as soif ? demande-t-elle.

Elle remplit un bol d'eau et le lui tend, mais l'animal détourne la tête et continue à gémir en regardant l'escalier qui mène sur le pont.

— Il veut qu'on remonte, s'écrie Félix en se dirigeant vers l'escalier.

Rita saisit le bébé repu qui gazouille sur la couchette puis elle les suit sur le pont.

15
La cale livre son secret

Sur le pont, le toutou renifle partout comme s'il cherchait quelque chose.

Puis il s'arrête près d'un tas de cordages et pousse un jappement autoritaire.

Les enfants tournent autour de la corde enroulée. Rien ne semble anormal. Pourtant, le chien aboie en direction de Félix en reniflant la corde. Le garçon repousse celle-ci et découvre un gros anneau de fer. Il tire, une trappe s'ouvre :

— C'est le ventre de la péniche. Le moteur est en bas. J'ai lu un documentaire sur les péniches où ils expliquent tout, dit-il, fier de son savoir. C'est drôlement noir là-dedans, poursuit-il en faisant mine de refermer la trappe.

Mais le chien le bouscule et se remet à gémir. Il est si insistant que Rita décide de descendre voir. Elle donne le bébé à Félix qui le tient à bout de bras d'un air dégoûté :

— Pouah ! Il pue, ce lardon.
— Il a dû faire caca. Pose-le par terre et aide-moi, ordonne la fille. On le changera plus tard.

Félix met l'enfant à côté du chien. Celui-ci pose sa tête sur les petites jambes du bébé.

Pendant ce temps, Rita a saisi le premier barreau de l'échelle qui descend dans la cale. Elle s'enfonce dans le noir.

— Ce n'est pas très profond ! crie-t-elle, mais je n'y vois rien. Va chercher une lampe dans le poste de pilotage.

Félix revient bientôt en portant une lampe torche. Dans la timonerie, en voyant le pilote automatique enclenché, il comprend pourquoi la péniche marche seule. Il commence à l'expliquer à Rita. Mais celle-ci s'impatiente au fond de la cale et lui crie :

— Passe la torche. On verra l'histoire du pilote après.

Quand elle éclaire le sol de la cale, elle s'écrie affolée :

— Y'a un garçon blessé à la tête. Faut le sortir de là mais il est grand et lourd.

Félix a une idée. Il lui jette une des extrémités du cordage et attache l'autre au collier du chien puis il annonce :

— Attache bien le gars. Le chien et moi, on le tirera.

Le chien a compris, il se met en position pour aider Félix. Rita attache le blessé en lui passant la corde sous les bras.

Après beaucoup d'efforts, un adolescent d'une quinzaine d'années se retrouve étendu sur le pont. Il geint doucement sans ouvrir les yeux et il est aussi noir que le bébé du hamac. Sa plaie à la tête saigne encore.

— Il faut nettoyer cette plaie, murmure Rita qui court chercher ce qu'il faut dans les cabines.

Elle revient avec de l'eau oxygénée et des compresses. Doucement, elle nettoie la blessure du garçon. Félix la regarde faire très pâle.

— C'est dégoûtant, tout ce sang. Fais attention ! De toute façon, il est fichu.

La fille le regarde, stupéfaite.

— Pourquoi tu dis ça ? Regarde, il bouge et il essaie d'ouvrir les yeux.
— Je te dis qu'il va mourir ! Mon frère quand il est tombé du cerisier, il était exactement pareil et après pfuitt... Je le sais, j'étais avec lui.

Puis, pour se donner une contenance, il prend le bébé et lance désinvolte :

— Je vais le changer, il pue trop, ce lardon...

Rita reste seule sur le pont avec le chien et le blessé... Elle a posé la tête du garçon sur ses genoux et se met à lui chantonner doucement ce qui lui passe par la tête :

— Dors, mon garçon ! Dors, la douleur partira ! Dors, mon garçon ! C'est sûr tu guériras !

16
Les enfants découvrent la famille du blessé

Le soleil est au zénith. Il réchauffe la jeune fille qui chante en berçant l'adolescent blessé.

Dans la cabine, Félix a trouvé de quoi changer le bébé. Il ne s'en sort pas trop mal puisque le tout-petit rit aux éclats lorsque Félix lui nettoie les fesses. Au moment où le garçon va remettre la couche, un jet doré lui asperge le visage.

— Oh ! Non ! Où tu te crois, pour me pisser dessus comme ça ? dit-il à l'enfant qui rit encore plus fort devant les mimiques outrées de sa nounou improvisée.

Après le change du bébé, Félix se résout à remonter sur le pont. Il ne se sent pas bien, les souvenirs de son frère en sang sous un arbre remontent par vagues, mais il ne veut pas laisser son amie seule. Il la rejoint...

Auprès de Rita, l'adolescent a ouvert les yeux. Il est très faible et il éclate en sanglots en apercevant le bébé qu'il appelle, Numa.

Les deux enfants impuissants le regardent pleurer. Félix dépose le petit à ses côtés ; le chien lui essuie le visage d'un coup de langue rose. Alors le garçon s'apaise et se rendort.

Félix et Rita le détaillent perplexes. Aucun des deux n'ose parler de crainte de le réveiller. La fille se relève, défroisse sa jupe puis chuchote :

— Tu vois, il n'est pas mort. Pourquoi t'as dit ça pour ton frère ?
— Laisse tomber, réplique Félix, gêné. C'est pas tes affaires.

Et pour se donner une contenance, il caresse les cheveux frisés du bébé en disant :

— Il s'appelle Numa, le nom d'un empereur romain. Pour un bébé africain, c'est pas courant.
— Qui te dit qu'il est africain ? Son grand frère parle français. Il disait sans arrêt, maman, j'ai mal.
— Justement ! Où sont leurs parents ? Sur cette péniche, on a vu que les garçons et le chien.
— C'est mieux pour nous. Comme ça, on n'a rien à expliquer.

Pour être sûrs qu'il n'y a personne d'autre, ils se décident à visiter tout le bateau en laissant le bébé et son grand frère dormir sur le pont. La péniche n'est pas très longue à parcourir. Elle fait à peu près trente mètres de long, de la proue à la poupe et cinq mètres de large. Rien de spécial sur les ponts, si ce n'est une glacière bleue et des caisses empilées sur le pont arrière.

Ils retournent vers l'habitacle puis grimpent les quelques marches qui mènent à la timonerie.

— Voilà le pilote automatique, explique Félix en désignant le manche bloqué en position verticale. On navigue sans pilote humain grâce à lui.

Rita n'est pas vraiment fascinée par la mécanique, elle observe les cloisons de bois et s'exclame :

56

— Félix, regarde ce cadre !

Elle désigne une grande photo, accrochée au-dessus de la porte. Au centre de la photo, il y a un marinier à barbe blanche coiffé d'une casquette marquée Cap'tain Hue. Il est encadré par un homme noir portant le bébé sur les épaules et par une belle jeune femme, noire elle aussi. À gauche de la femme, souriant de toutes ses dents, se tient le garçon blessé qui dort sur le pont. Le chien noir est au premier plan devant le groupe.

— On dirait une famille. Y a que le vieux qui est blanc, remarque Rita.

Rita décroche la photo pour la montrer au garçon blessé et ils remontent sur le pont. Le garçon et le bébé se sont réveillés. Le grand, les yeux éteints, berce dans ses bras le petit qui gazouille.

— C'est ta famille là-dessus ? demande Félix un peu brusquement en tendant la photo à l'adolescent.

Le visage de l'adolescent se ferme et ses yeux s'emplissent de larmes, puis il détourne la tête sans répondre.

— C'est ta mère qui est à côté de toi sur cette photo ? reprend doucement Rita en posant une main sur le bras du garçon.
— Ouais, mais qu'est-ce que ça peut vous foutre ? Je vous en pose, moi, des questions ?

Il se tient la tête à présent et semble souffrir à nouveau.

— Quand tu te seras bien reposé, on te racontera notre histoire, lui dit la fille.

Le soleil tape très fort sur le pont et il est préférable que le blessé s'étende au frais sur une couchette. Rita prend le bébé sur sa hanche, le garçon se lève aidé par Félix, le chien les précède...

Tout le monde descend dans l'habitacle. Arrivé en bas, le garçon s'allonge sur la grande couchette. Une fois couché, il soupire d'aise.

— Ouf ! Je suis mieux là que dans la cale. Merci à tous les deux. Je vais dormir un peu, puis nous parlerons...

Les deux amis le regardent un instant, puis vont se reposer dans l'autre cabine. Chacun s'installe. Rita met le bébé à côté d'elle, côté mur pour qu'il ne tombe pas de la couchette. Félix s'allonge sur l'autre lit, le chien à ses pieds. Quelques minutes plus tard, tout le monde dort à poings fermés, bercé par le ronronnement du moteur...

17
Félix se souvient d'un dramatique accident

La journée a été si pleine d'émotions qu'ils ont fait le tour du cadran sans même s'en rendre compte. C'est une secousse brutale qui les réveille brusquement le lendemain ; le moteur tousse. Toute la péniche vibre, faisant trembler couchettes et occupants. Effrayés, les enfants n'osent bouger, le bébé se met à pleurer bruyamment.

— Qu'est-ce qu'il se passe ? demande Félix à voix basse.
— C'est rien, ça arrive souvent, lui répond le garçon qui s'est levé et s'appuie à la porte de leur cabine.

Il explique que le moteur, trop vieux, s'emballe souvent. Il faut alors donner un bon coup de marteau sur le gicleur. C'est en voulant descendre faire ce geste la nuit dernière, qu'il est tombé dans la cale...

— Sans vous, j'y serai encore. Aidez-moi à remonter sur le pont et je vous montrerai...

Comme le bébé pleure toujours, Rita reste en bas pour préparer un biberon.

Sur le pont, le garçon explique à Félix qu'il avait le marteau à la main lorsqu'il est tombé. Il faut maintenant le récupérer pour taper sur le gicleur.

— Tu te tiendras bien à l'échelle Félix ! Sinon, en cas de secousse, tu morfles dur !

Le petit garçon le regarde ouvrir l'écoutille. Visiblement, l'adolescent souffre car son visage est crispé de douleur. D'une traite, Félix lui déclare :

— Laisse tomber. J'peux pas descendre !
— Mais pourquoi ? C'est pas dangereux en plein jour et puis je suis là pour te guider.
— J'peux pas descendre, je te dis, il doit y avoir du sang partout en bas.
— Si t'y vas pas, on va avoir de gros ennuis avec la péniche. Moi je ne peux vraiment pas.

Comme pour lui donner raison, le moteur vrombit plus fort et le bateau tremble, donnant l'impression qu'il va se disloquer.

Félix n'arrive pas à bouger. C'est plus fort que lui. Il ne veut pas voir le sang qu'il imagine étalé par terre. Il revoit son frère sous le cerisier et la tache de sang qui s'agrandissait et lui qui ne parvenait pas à bouger.

Rita les a rejoints après avoir déposé le bébé dans son hamac. Elle observe le petit garçon tout pâle dont les yeux ne semblent plus les voir. Elle le secoue gentiment :

— Qu'est-ce qui t'arrive ? demande-t-elle doucement.

L'enfant tourne son regard vers elle et les yeux noyés de larmes, il dit très vite :

— C'est mon frère ! Il est presque mort et c'est de ma faute. Je voulais absolument des cerises. Les plus mûres étaient en haut. Paul est monté sur l'échelle, mais le dernier barreau a cassé d'un coup. Il est tombé et... voilà. Je ne veux plus voir de sang !

Les deux autres l'ont écouté en silence. Rita dit ensuite :

— C'est pour ça que tu es parti de chez toi ? lui demande Rita.
— Oui ! Pour ça aussi.

Et le petit garçon lance avec amertume que ses parents préféraient Paul.

Félix est une source d'ennuis pour eux alors que Paul était un chercheur brillant. Il y a deux jours, le petit garçon a entendu sa tante dire que si Paul avait fait cette chute, c'était à cause de lui. À la fin de sa confession, Félix se met à pleurer.

Le moteur refait une embardée. Il faut y aller. Rita empoigne l'échelle et descend.

— Tu vois le marteau ? demande le grand garçon penché au-dessus de l'échelle.
— Je l'ai ! Qu'est-ce que je dois faire ?
— Trouve le moteur. Tu vas le voir vibrer fort. Il y a un piston qui monte et descend trop vite. C'est juste dessous qu'il faut taper pour que le moteur ralentisse.

Au bout de quelques essais maladroits, la fille trouve le bon endroit et le moteur se calme. Elle remonte fière d'elle.

— Tu aurais pu y aller, Félix. On ne voit presque rien sur le plancher, c'est trop sale et couvert de cambouis.
— Je suis désolé, répond-il. Je ne sais pas ce qui m'a pris. Je croyais avoir oublié…

L'adolescent explique avec gentillesse au petit que tout va bien maintenant et que la péniche va pouvoir marcher tranquillement. Puis il ajoute :

— Tu sais, je te comprends pour le sang.

18
Chacun raconte sa singulière histoire

Le garçon blessé leur raconte comment des soldats ont massacré presque tous les gens de son village. Après cette tuerie, il ne pouvait plus dormir. Il hurlait toutes les nuits parce qu'il avait peur que ça recommence. Alors, ils sont partis pour l'Europe. Ils ont quitté le Rwanda pour parvenir à dormir et à oublier le sang !

— Où sont tes parents, maintenant ?
— Les gendarmes les ont arrêtés hier !

Le garçon explique que sa famille vivait dans un hangar près du canal. Son père gagnait un peu d'argent en transportant des sacs de ciment pour les mariniers. Un jour un marinier Cap'tain Hue leur a proposé d'embarquer sur sa péniche pour lui donner un coup de main.

— Mon père a accepté. Pour nous, c'était inespéré.

Puis il raconte que Cap'tain Hue était un mec extraordinaire. Il avait contacté une association pour leur obtenir des papiers. Mais il y a deux jours, il a fait un gros malaise et les parents ont appelé les pompiers. Les gendarmes ont débarqué avec eux. Quelqu'un avait dû les dénoncer. Patrick était dans la cabine en train d'endormir son frère. Sa mère lui a fait signe de ne pas se montrer. Puis les gendarmes ont embarqué ses parents…

Il conclut en disant :

— La suite, vous la connaissez, je suis tombé.

— Ben, dis donc, quelle histoire ! De vrais sans-papiers ! siffle Félix admiratif et tout ragaillardi.

Rita questionne intéressée :

— Est-ce qu'un sans papier a un nom ?

— Bien sûr ! Je m'appelle Patrick Moktubu ! Toi, j'ai entendu Félix t'appeler Chevrette. C'est joli, je trouve.

— Joli ? Tu plaisantes ! On m'appelait même la Chèvre. Maintenant, je m'appelle Rita. Ne l'oubliez plus jamais, poursuit-elle en foudroyant Félix du regard.

Puis elle raconte à son tour son histoire : sa recherche désespérée d'identité et d'un lieu nommé, le Bout du Monde. Félix opine du chef. On dirait qu'il sait déjà tout de cette histoire. Il affirme avec conviction.

— Ben, les potes, la vie ne nous a pas gâtés ! Mais ça va changer. Maintenant, on est trois et à trois, on est plus forts. Pas vrai ?

Les deux grands acquiescent. Chacun pense que l'autre est le plus malheureux et chacun rêve à un avenir meilleur. Le bébé les tire de leurs réflexions en éclatant de rire parce que le chien est en train de lui lécher le visage. Patrick le prend dans les bras et lui fait des bisous dans le cou. Le petit rit de plus en plus. Il a raison, mieux vaut rire que pleurer.

Alors, l'adolescent se souvient de la chanson que lui chantait sa mère pendant leur fuite et il se met à chanter pour ses nouveaux amis.

« Mon enfant, il faut rire pour ne pas pleurer.
La vie, c'est à toi de la transformer.

Bouge tes pieds ! Bouge tes pieds ! »

Félix et Rita l'écoutent émus puis ils tendent leurs mains pâles vers la main sombre du garçon. Le chien pose maladroitement sa grosse patte velue sur les mains jointes des enfants.

Alors le trio hilare serre la patte poilue du gros toutou dont la gueule semble rire aussi.

Une fois les rires calmés, les enfants vont manger. En passant devant la trappe, quelque chose chiffonne Félix. Il jette un coup d'œil au cordage :

— Patrick ? Qu'est-ce qui s'est passé quand tu as voulu réparer le moteur ?

— Comme il s'emballait de plus en plus, j'ai ouvert la trappe. Le reste est flou. J'ai dégringolé…

— Donc t'as pas pu refermer la trappe et mettre un cordage dessus.

— C'est vrai ça ! renchérit Rita, le cordage masquait complètement la trappe. Si ton chien n'avait pas aboyé, on n'aurait rien vu. Tu serais sûrement mort maintenant.

Félix fait remarquer qu'un chien est incapable de déplacer un aussi gros cordage mais que quelqu'un l'a fait.

— Ça suffit, Félix, commande Rita. Tu me fous les jetons !

Le petit garçon abandonne l'enquête et le trio descend à la queue leu leu dans la mini-cuisine. Rita fait coulisser les portes des placards et déclare admirative :

— Comme c'est bien rangé ! Il y a de tout. On peut tenir un moment avec toutes ces provisions.

— C'est ma mère qui avait organisé les placards. Quand on est arrivés, c'était le vrai souk !

Patrick parle avec nostalgie de sa vie sur la péniche.

Avant de les prendre sous sa protection, le capitaine vivait seul. Il était très désordonné ! Mais quand cinq personnes vivent dans un petit espace, il faut changer les habitudes et sa maman s'était employée à ranger. Son père s'occupait de l'entretien de la péniche. Le vieux marinier considérait Patrick comme son petit-fils et il lui apprenait à conduire la péniche. Il s'était aussi mis en tête de l'inscrire dans un collège à Béziers. Mais au grand désespoir de l'adolescent, il n'en a pas eu le temps.

— Ça nous sera utile, ce que tu as appris sur le pilotage, dit Rita.

— Tu sais, Patrick, le collège c'est le bagne ! plaisante Félix. Vaut bien mieux piloter une péniche. Et puis, pour apprendre, y'a les livres !

— Tu dis n'importe quoi, je rêve de retourner en classe. J'en peux plus de me cacher, de ne pas avoir de copains…

— Du calme, mon vieux. Le jour où tu iras au collège, on en reparlera. Où alliez-vous avec cette péniche ?

— Au chantier naval de Sète ! Mais maintenant, c'est foutu !

Alors Rita comprenant la détresse du garçon, se hausse sur la pointe des pieds et lui pose un baiser sur la joue pour le consoler.

— T'inquiète ! On va s'en sortir ensemble ! Après le repas, tu nous raconteras la suite de ton histoire.

Tous s'affairent dans la petite cuisine. Rita prépare un biberon pour bébé Numa. Ce dernier la regarde avec ses jolis yeux noirs en agitant la cuillère en bois que la jeune fille lui a donnée.

Félix trie une salade trouvée dans le frigo et Patrick ouvre une boîte de cassoulet sortie du placard.

Bientôt, le couvert est mis sur la petite table qui était rabattue contre la cloison. Tout le monde se régale et reprend des forces. Une fois le bébé rassasié, Patrick part le coucher dans son hamac. Il berce doucement la petite lui chantant une berceuse de son pays…

19
Les enfants savourent un repos bien mérité

En bas, Félix et Rita discutent en faisant la vaisselle.

— On ferait mieux de se barrer, chuchote Félix. Les flics vont rechercher la péniche et ils nous cueilleront en même temps. Finies la liberté et la recherche du Bout du monde et de ta mère !

Rita est stupéfaite de sa réaction.

— Comment peux-tu songer à les abandonner ? Tu vois bien que Patrick est trop faible pour se débrouiller seul. Et puis à bord, on verra les gendarmes venir de loin et on sautera sur la berge si besoin. Alors, pars si tu veux ! Moi, je reste.
— Bon ! Je reste encore un peu avec vous… Mais au moindre uniforme, je te préviens, je me casse en courant !

Une fois la vaisselle lavée et rangée, les deux enfants remontent sur le pont pour écouter la suite de l'histoire. Patrick est en train de déplier des transats. Rita s'installe sur l'un d'eux, prend son journal puis elle dit à l'adolescent :

— Raconte-nous ton histoire, je veux l'écrire sur mon journal.

Et elle écrit…

Dimanche 22 septembre

Mon journal, je te retrouve aujourd'hui pour écrire l'histoire de mon ami Patrick, de ses parents et du capitaine Hue. Tu sais, j'aime prendre des notes parce je veux devenir écrivaine, les aventures vécues par une famille de clandestins pourraient m'être utiles.

Le Captain Hue est marinier depuis plus de trente ans. Il transporte du sable ou du gravier sur les canaux d'Europe. Mais il se sent vieillir et il est temps pour lui de faire un travail moins pénible.

Alors il a l'idée de transformer sa péniche de fret en péniche de croisière. Il projette d'aménager de luxueuses cabines dans les cales de la péniche. Cette transformation s'effectuera au chantier naval de Sète.

La péniche devenue une péniche de plaisance naviguera sur le canal du Midi. Les vieux os du capitaine ont besoin de soleil et de tranquillité. Le canal du Midi sera parfait car même si ses écluses sont nombreuses, la navigation y est facile.

Les clients de la péniche seront des vacanciers. La mère de Patrick se voyait déjà accueillir ses hôtes et leur cuisiner de bons petits plats. Le capitaine piloterait la péniche, aidé par le père de Patrick. Tous ces beaux projets sont tombés à l'eau avec l'infarctus du Capitaine et l'arrestation des parents de Patrick.

Ce texte reprend le récit raconté par mon nouvel ami Rwandais Patrick Moktubu.

Bye, mon journal.

À la fin de l'histoire, Félix s'étend sur l'un des transats et claironne à la ronde pour changer de sujet :

— Très cool, ces chaises longues ! Un vrai luxe.

— C'est le premier achat de Cap'tain Hue pour les croisières. Maintenant, elles sont inutiles, soupire Patrick les larmes aux yeux.

— T'inquiète ! fanfaronne Félix. Après une bonne sieste sur ces superbes transats, je nous concocte un plan de bataille aux petits oignons.

— Tu ne manques pas d'air, rétorque Rita. Y'a cinq minutes tu voulais te barrer au plus vite.

— C'était un peu de déprime. Ça arrive souvent aux surdoués !

Les disputes des deux enfants ont donné mal à la tête à Patrick encore fragile. Il tend à Rita un confortable coussin jaune vif tout en disant aux deux querelleurs :

— Arrêtez de vous disputer. Quand j'aurai moins mal au crâne, je trouverai comment faire, mais pour l'instant, dodo au soleil pour tout le monde.

— J'espère que ton moteur va nous laisser tranquilles, soupire la fille en installant le coussin moelleux sur son transat.

— Tu peux dormir sans crainte. Une fois qu'on a tapé sur le gicleur, on est tranquilles pour un moment.

Les trois amis s'assoupissent, épuisés, sous le doux soleil d'une fin d'après-midi de septembre. Le ronronnement du moteur un peu poussif de la vieille péniche les berce.

Des aboiements furieux les tirent brusquement de leur sieste. Le grand chien noir, dressé sur ses pattes arrière, aboie vigoureusement. Il a posé ses pattes avant sur le bastingage et regarde au loin, devant la péniche.

20
Les enfants franchissent une écluse comme des pros

Patrick se lève comme un ressort et crie :

— Tout le monde debout, on arrive à l'écluse. Va falloir être rapides pour les manœuvres sinon le bateau prendra mal. Il ne nous reste pas beaucoup de temps avant le sas.

— Comment allons-nous faire ? s'inquiète Rita, encore à moitié endormie.

L'adolescente n'a jamais vu d'écluse mais Félix a l'air d'en connaître un rayon sur le sujet. Il compare l'écluse à un escalier d'eau qui permet de passer d'un niveau du canal à l'autre.

Patrick agacé par les savantes explications du petit garçon les avertit que personne ne doit s'apercevoir de l'absence de Cap'tain Hue aux commandes. Puis il ajoute :

— Si vous n'êtes pas attentifs, on se cassera la figure dans cet escalier d'eau comme tu dis si bien !

Félix lui fait un salut militaire :

— Ordonnez, mon commandant. Nous exécuterons. Pas vrai, Chevrette ?

— Ne m'appelle plus comme ça. T'as compris ?

— Mais je rigolais !

Alors Patrick sérieux leur détaille la descente de l'écluse, Il se souvient que son capitaine appelait ça être avalant.

— Je ferai entrer la péniche dans le sas. Il se remplira d'eau jusqu'au niveau du quai. Rita, tu sauteras à terre avec les amarres[1]. Félix t'aidera. Vous entourerez les cordes autour des bollards. Surtout, il ne faudra pas faire de nœuds pour que ça puisse coulisser, sinon, quand le niveau d'eau baissera, on se retrouvera perchés au-dessus de l'eau et on risque de basculer.

— C'est quoi ces bollards ? rouspète Félix.
— De gros piquets scellés sur le quai pour arrimer[2] les bateaux, s'agace Patrick. Dépêchons-nous. L'écluse approche et je dois enlever le pilote automatique pour conduire la péniche.

Puis il poursuit :

— Après avoir attaché les amarres, vous garderez les cordes bien tendues pendant que le sas se videra sinon le bateau cognerait.
— Et après qu'est-ce qu'on fait ? demande Rita très anxieuse.
— T'auras qu'à appuyer sur un bouton pour ouvrir et fermer les vantaux[3]. Ensuite, les vantelles[4] feront entrer puis sortir l'eau. C'est Cap'tain Hue qui m'a appris tout ça, dit le grand garçon nostalgique.
— Et si on me voit ? s'inquiète Rita.
— Il n'y aura pas d'éclusier, l'écluse est automatisée. Vite, au boulot ! Au feu vert, on aura trois minutes pour passer.

---

[1] Câble, cordage servant à retenir un navire.
[2] Fixer avec des liens pour éviter que cela bouge.
[3] Portes permettant de fermer une écluse.
[4] Petites vannes fixées sur les vantaux.

Félix et Rita soulèvent péniblement les cordes d'amarrage pendant que Patrick au pilotage amène la péniche jusqu'au sas. L'écluse approche.

Les feux sont orange, puis, à l'approche du bateau, ils passent automatiquement au vert. La péniche peut entrer dans le sas.

— Rita ! Saute, c'est le moment ! lui crie le garçon de son poste. On a trois minutes chrono.

Rita saute sur le quai en tenant l'extrémité d'une amarre. Félix resté sur le pont, déroule le reste du lourd cordage qui lui scie les doigts. Sur le quai, la fillette tire de toutes ses forces pour passer sa corde autour des bollards, mais il n'y a pas assez de longueur. Elle hurle à son copain :

— Donne du mou, c'est trop court !

Félix soulève le reste du cordage puis il monte sur la première barre du garde-corps pour pouvoir lancer sa corde par-dessus la rambarde. Emporté par son élan, entraîné par le poids du cordage, il perd l'équilibre et tombe dans l'eau sombre entre la péniche et le quai. Il donne un coup de reins et remonte à la surface où il aspire une grande goulée d'air.

— Au secours, je vais me noyer, hurle-t-il, affolé.
— Attrape le bord du quai. Tu y es presque ! crie Rita.

Mais le petit garçon, pris de panique, n'arrive pas à s'accrocher au bord trop glissant. Il coule, boit la tasse, parvient à ressortir la tête, mais ses mains glissent à nouveau sur les pierres du quai. Rita, impuissante le voit s'enfoncer. Impossible de plonger car elle ne sait pas vraiment nager.

Du haut de la timonerie, Patrick a vu la scène. Mais s'il lâche les commandes, la péniche va écraser le petit garçon contre le bajoyer[5]. La situation est dramatique.

Rita prend son courage à deux mains et va plonger…

Quand un grand PLOUF retentit. Le chien noir vient de sauter à l'eau. Avec un grand bruit d'éclaboussures, il nage vers le petit garçon, se glisse sous son corps puis le soulève sur son dos noir. De toute la force de ses bras, Félix s'accroche aux longs poils du toutou.

Doucement, le chien patauge jusqu'à un bord de quai sec. Avec un dernier effort, l'animal met ses pattes avant sur le quai et l'enfant ruisselant monte sur l'échine comme sur une échelle pour sortir de l'eau. Le petit garçon est sauvé !

Ensuite, Rita et lui tirent le chien sur le quai. Celui-ci s'ébroue vigoureusement. Tout le monde est sain et sauf. Pour saluer le sauvetage, le jeune pilote fait retentir la sirène de la péniche.

Mais il n'y a plus de temps à perdre, il faut passer l'écluse. Les deux enfants trempés entourent les amarres autour des plots et tirent de tout leur poids sur les cordes pour les maintenir tendues. Leurs mains sont en sang mais ils ne sentent pas la douleur tant ils veulent réussir leur mission. Du haut de son poste, Patrick continue de donner ses consignes :

— Maintenant Félix, tu vas à la borne automatique et tu appuies sur le bouton vert. Je vais faire passer la péniche et vous me retrouvez de l'autre côté. Rita ! Garde bien les amarres tendues.

Quand Félix appuie sur le bouton vert, le sas se remplit. Une fois l'eau au niveau du quai, les portes s'ouvrent…

---

[5] Paroi latérale d'une écluse.

La péniche avance lentement. Patrick pilote comme un vrai capitaine.

Surtout ne pas accélérer sinon le bateau se mettrait en travers et bonjour les dégâts !

Le cœur de l'adolescent bat la chamade. Pour la première fois, il est seul à la barre pour passer une écluse. Un sentiment de fierté l'envahit.

Sur la berge, Rita tient ferme les amarres et accompagne le déplacement du bateau en tendant les cordes. Quant à Félix, tout mouillé, il regarde fasciné cette eau qui emplit les bassins puis se déverse. Il en oublie même d'avoir froid. C'est somptueux !

— Presque aussi bien que les chutes du Niagara, murmure-t-il.

Une fois l'écluse franchie avec succès, Patrick arrête le bateau quelques centaines de mètres en aval pour attendre ses équipiers. L'endroit est idyllique.

L'automne a commencé son travail et des feuilles rouges et jaunes font un tapis éclatant sur le chemin de halage qui borde le canal. Les petites silhouettes minces de Félix et Rita se découpent sur le chemin dans le soleil qui descend à l'horizon. Le chien gambade joyeusement à leurs côtés tandis que les enfants marchent d'un pas léger.

Ils y sont arrivés ! L'écluse est franchie.

21
La fatigue gagne les garçons

Le nouveau capitaine est soulagé d'avoir passé l'écluse. Il a vraiment été pris d'une grosse panique avant l'intervention du chien. Maintenant, heureux que Félix soit indemne, il a repris son calme et observe dans le soleil couchant les deux petites silhouettes de ses amis qui se rapprochent. Un éclair de douleur lui fait fermer les yeux. Le ciel a pris une teinte rouge sombre. Le soleil se noie dans son sang qui se fige.

Soudain, Patrick ne sait plus où il est. Tout ce qu'il veut, c'est ne plus voir ce ciel et cette couleur rouge qui lui fait horreur. Des images arrivent par vagues. Les gens massacrés ou gémissants dans une église en feu. Des hommes aux yeux fous brandissant leur machette au-dessus de sa mère La course à travers les champs pour leur échapper, les cris, les larmes... Il s'évanouit dans le poste de pilotage.

Pendant ce temps, Rita et Félix remontent sur le bateau en se chamaillant.

— Tu te rends compte, j'aurais pu me noyer s'il n'y avait pas eu le chien. Pourquoi tu ne m'aidais pas ?
— Mais je ne sais pas vraiment nager ! J'étais pétrifiée. Et toi ? Pour un surdoué, tu n'es même pas capable de barboter dans l'eau. J'y crois pas !
— Un surdoué, c'est dans la tête, pas dans les muscles, triple idiote, rétorque Félix, vexé.

Pour éviter que la dispute ne s'envenime, Rita lui demande où est passé leur capitaine. Ils l'appellent mais seuls les pleurs du bébé leur répondent.

— Mince ! On a réveillé Numa ! Je vais le chercher. Toi, tu trouves Patrick.

Félix monte à la timonerie et découvre leur copain au sol, inanimé. Inquiet, il le secoue.

— Hé, Pat ! Qu'est-ce qui t'arrive ? C'est ta blessure ?

Le grand garçon essaie de reprendre ses esprits et de rassurer le petit :

— C'est rien ! Ça me fait toujours ça quand je vois un coucher de soleil et son ciel rouge. C'est comme toi pour ton frère. Les mauvais souvenirs, tu sais ce que c'est. Où est Rita ? Elle s'est débrouillée comme une chef pour l'arrimage.

— Elle s'occupe du bébé. Elle ne t'a pas vu par terre. Je le lui dis ?
— Non ! Elle s'inquièterait. Elle est vraiment sympa cette fille.
— Sympa ? Si on veut. Elle sait même pas nager. C'est le chien qui m'a sauvé, sinon j'y passais. Mais bon ! Je lui pardonne pour cette fois.

Les garçons se taisent car Rita arrive avec le bébé et un panier à la main.

— J'ai trouvé de quoi fêter notre premier passage d'écluse, notre grand capitaine et notre sauvé des eaux : chocos BN et jus de pomme, leur déclare-t-elle en souriant.

Les amis mangent en silence, même le bébé a droit à un demi-gâteau au chocolat dont il se barbouille le visage et le tee-shirt.

À présent, le soleil a disparu derrière l'horizon. La nuit gagne petit à petit les berges du canal et la péniche. Le bateau glisse doucement sur l'eau.

— Il faudra bientôt se mettre à quai quelque part. On ne peut pas franchir la prochaine écluse de nuit, fait remarquer Patrick.

Alors même qu'il prononce ces mots, l'idée d'avoir à réaliser cette simple manœuvre lui paraît insurmontable. Gagné par la fatigue et toujours sous le choc de ses souvenirs violents, il se prend la tête dans les mains.

Félix, de son côté, tremble de froid, ses vêtements sont encore mouillés après sa baignade forcée. Il se met à pleurer sans bruit.

Rita comprend qu'ils courent à la catastrophe si elle se laisse aller, elle aussi au découragement. Elle puise de la force en elle, en pensant à ce qu'elle a fui et ce vers quoi elle va.

— On s'en sortira, les garçons ! On y arrivera. Faut tenir ! Ensemble, on atteindra le Bout du Monde !

Après cette déclaration véhémente, elle ne s'occupe plus des garçons épuisés. Elle fouille dans son sac à dos et en sort son livre fétiche.

Surpris de la combativité de Rita, Patrick relève la tête. Il doit retrouver de l'énergie et du carburant s'il veut être à la hauteur de cette fille courageuse. Il l'observe très intrigué car elle est en train de caresser un livre.

— Lire maintenant, pense-t-il. Quelle drôle d'idée !

Deux minutes plus tard, Patrick en oublie sa fatigue. Pour mieux observer l'incroyable phénomène, il s'approche de Rita. Cette fille fascinante vient de toucher une illustration qui s'anime. Patrick regarde fasciné et stupéfait...

Un enfant dessiné saute à cloche-pied sur les mots de la page lue. À chaque saut, un mot disparaît... Le texte se couvre d'espaces blancs. Le personnage saute toujours et des phrases entières disparaissent comme avalées par le papier. Quand Rita ôte ses doigts, le texte reprend sa forme ordinaire.

L'adolescente paraît sortir d'une transe, elle referme le livre d'un coup sec et montre la couverture à Patrick qui lit le titre à haute voix.

Très sûre d'elle, Rita annonce alors à la cantonade :

— Voilà notre objectif les garçons « le Bout du Monde ».

Félix cesse aussitôt de pleurer.

22
De drôles de choses se passent dans la timonerie...

À cet instant, la sirène de la péniche lance un long mugissement. Les trois enfants se regardent sidérés.

— On est tous là ! Qui a actionné la sirène ? s'épouvante Félix.

Le chien Patou s'aplatit au sol en gémissant, le museau caché entre ses grosses pattes poilues.

La sirène retentit à nouveau. Le bateau vibre, faisant trembler assiettes et verres sur la table, puis le moteur s'arrête. La péniche vient de stopper net.

— Je vais voir, dit Patrick d'une voix ferme. La sirène a dû se coincer et le gicleur refait sûrement des siennes. Ne vous inquiétez pas. Patou va venir avec moi. Pas vrai, Patou ? ajoute-t-il en prenant le chien par le collier.

Mais le chien se tapit encore plus sur le sol. Il refuse de se lever, gémit et regarde les enfants avec des yeux suppliants.

— On dirait qu'il a peur. Étonnant pour un clébard ! D'habitude, c'est l'inverse, les humains ont peur et le chien les protège. Bizarre ! Bizarre ! J'ai dit bizarre ! rigole Félix.
— Sois sérieux, Félix. Patou est simplement fatigué, n'oublie pas qu'il a dû plonger pour te sauver. Je viens avec toi, Patrick, ajoute Rita.

Les deux ados doivent faire vite car la nuit tombe. Rita prend un grand couteau dans le tiroir du buffet.

— C'est plus sûr. On ne sait jamais…

Les enfants grimpent l'escalier à pas de loup. Dehors, la nuit est noire et sans lune. Une faible lueur émane de la timonerie. Habituellement, le poste de pilotage est parfaitement éclairé par un groupe électrogène.

— Si le groupe nous lâche, c'est la cata, murmure Patrick très embêté.
— J'ai pris la lampe torche, le rassure la fille. Dépêchons-nous ! Il faut savoir pourquoi le moteur s'est arrêté.

Arrivé en haut de l'escalier, le garçon se fige. Il a entrevu une longue silhouette fine devant le pare-brise. L'ampoule de la timonerie clignote, masquant puis révélant cette forme étrange. Sa blessure à la tête lui jouerait-elle des tours ? Derrière lui, Rita n'a rien vu.

Elle le bouscule gentiment pour le faire avancer…

— Reste pas planté là ! On doit redémarrer la péniche et l'arrimer en sécurité. Bouge !

Patrick se secoue. Les enfants pénètrent ensemble dans le poste de pilotage. Celui-ci est vide. Tout semble normal, à part la manette du moteur enclenchée sur la position STOP.

Rita hume plusieurs fois l'air. Ce dernier est saturé d'un fort parfum de rose, comme si on avait brisé un flacon dans la timonerie :
— Ça sentait comme ça hier ? demande-t-elle.
— Non ! D'habitude, ça sent le mazout.

Le moteur de la péniche est complètement arrêté, pourtant le gouvernail bouge dirigé par une main invisible. Rita n'est pas rassurée du tout. Pour ne pas l'effrayer plus, Patrick ne dit pas un mot sur la silhouette entrevue.

Le puissant parfum flotte toujours dans l'air difficilement respirable. La fillette suffoque. Alors elle ouvre un hublot et se penche à la fenêtre pour respirer. Interloquée, elle s'écrie :

— Le bateau est amarré contre la berge. On navigue plus. C'est pas croyable !

Patrick se penche aussi. Effectivement, le bateau est amarré et les pneus pare-battages sont en place protégeant les flancs de la péniche des heurts contre le quai. Le garçon n'aurait pas fait mieux.

— C'est vraiment trop bizarre. Je n'y comprends rien ! Redescendons.

Dans la cabine, Félix s'est assoupi sur une couchette, le bébé endormi pelotonné contre lui. Les ados les contemplent attendris, puis Patrick chuchote :

— Puisque la péniche est amarrée, on est tranquilles. On n'a qu'à dormir. Demain, on y verra plus clair !

Les deux amis s'étendent dans la deuxième cabine et bientôt tout le monde dort profondément.

23
On voit arriver des cyclistes trop curieux

— Ohé du bateau ! Y'a quelqu'un sur cette péniche ? crie une voix forte. On a besoin d'aide.

Félix est le seul à se réveiller. Il bondit sur le pont et voit deux cyclistes qui gesticulent sur le chemin de halage. Les hommes sont descendus de vélo et appellent à nouveau :

— Ohé, du bateau ! Y'a quelqu'un ?
— Ne criez pas si fort, tout le monde dort. Qu'est-ce que vous voulez ? demande Félix d'une voix ensommeillée.
— On a besoin d'eau. Mon copain est tombé et le prochain point d'eau est à huit kilomètres. Tu es tout seul ?
— Mes parents dorment, ils sont rentrés tard hier, ils ont fait la fête. Vaut mieux pas les réveiller sinon ils seront de mauvaise humeur et bonjour les dégâts. Je vais vous chercher de l'eau.

Il se précipite dans l'habitacle. En bas, les deux autres se sont réveillés. Patrick est inquiet. Félix leur fait signe de se taire. Il prend une bouteille, remonte à toute allure sur le pont et tend l'eau aux cyclistes.

— J'espère que ça ira, leur dit-il poliment. Je retourne dormir.

Mais les deux hommes scrutent le pont arrière avec insistance comme s'ils cherchaient quelque chose. Ils regardent vers trois grandes caisses empilées. Le garçon a peur qu'ils ne montent. Alors il se plante entre eux et l'entrée de la péniche, puis il leur déclare avec fermeté :

— Vous feriez mieux de reprendre la route rapidement. Un groupe de vieux à vélo passe tous les jours vers cette heure-ci. Ce ne serait pas super pour vous de vous retrouver au milieu des séniors.

— Tu en sais des choses, ironise le plus grand des hommes. Merci de l'info, jeune homme. À bientôt peut-être !

Le petit garçon, soulagé, les regarde s'éloigner avant de redescendre.

— Bravo, Félix ! Quel menteur tu fais ! Je suis épatée, dit Rita en riant.

— C'était pour nous sauver. Ne te moque pas, rouspète-t-il.

— Moi je te tire mon chapeau, le félicite Patrick. Tu nous as sortis d'un sacré pétrin parce que le grand type, je l'avais déjà vu une fois sur le quai. Il s'engueulait drôlement fort avec Cap'tain Hue. Quand le capitaine est remonté sur la péniche, il avait l'air préoccupé, mais il n'a rien dit.

24
Félix révèle l'histoire du sigle SNP

Après un petit déjeuner copieux, Patrick va chercher une carte dans la timonerie et l'installe sur la table, repoussant les bols du petit déjeuner.

— Voilà la carte du canal avec toutes les écluses jusqu'à Sète. Nous sommes là entre Toulouse et Carcassonne, dit-il en pointant l'endroit exact.

Les deux autres sont impressionnés. Ni Rita ni Félix n'avaient réalisé qu'ils n'étaient qu'au début du canal. À présent, ils se rendent compte que le trajet sera long avant d'atteindre la Méditerranée. Avec leur vitesse de navigation, il faudra au moins trois jours pour parvenir à Sète.

La police doit les rechercher. Cela fait déjà trois jours qu'ils ont fugué. Auront-ils le temps de finir le voyage avant qu'on ne les retrouve ?

Sur la carte, il y a des symboles différents pour les écluses automatisées ou pour celles qui sont manuelles. Félix constate découragé que la plupart sont manuelles. Il faudra un éclusier pour les franchir. Dans ces conditions, difficile de ne pas se faire remarquer.

— On est mal barrés, grogne-t-il. Vaudrait peut-être mieux rentrer à la maison et s'excuser.

— Non, non et non ! déclare Rita en colère. Je veux au moins essayer. Je n'ai rien à perdre. Si vous ne voulez pas venir avec moi, je partirai seule !

Puis les yeux de l'adolescente se remplissent de larmes :

— Vous ne pouvez pas comprendre. Je suis une SNP et c'est insupportable !
Ne pas savoir qui je suis. Pourquoi j'ai été abandonnée ? J'en peux plus. Je veux retrouver ma mère. Peu importe les dangers… J'irai jusqu'au bout du voyage…

Patrick la regarde surpris de tant de colère et de détresse.

— Mais qu'est-ce que tu racontes ? Tu t'appelles Rita. Pourquoi tu nous balances ce SNP à la figure ?

Félix prend la parole et révèle à Patrick médusé l'histoire de sa nouvelle amie :

— Notre Rita a été abandonnée petite et personne ne sait par qui. Ce sigle SNP est donné aux gens comme elle qui n'ont pas d'identité connue. Rita, si tu as un papier où c'est marqué, montre-lui ton S.N.P poursuit-il.

Rita est étonnée. Comment le jeune garçon connaît-il les détails de son histoire ?

Alors Félix avoue gêné que son père est commandant à la gendarmerie de K.
Un soir, il a parlé chez lui de l'affaire Chevrette. Il en était obsédé. Il a même poursuivi l'enquête en dehors de ses heures de service.

Mais après l'accident de son fils, il a abandonné ses recherches. Depuis que Paul est dans le coma, il a beaucoup vieilli.

Alors, quand Félix a vu Chevrette avec le livre de son frère, il la suivit. Quand elle a fugué, il a fugué aussi. Ce n'était pas pour ses beaux yeux mais pour le livre. Félix est sûr qu'il cache un secret…

Mais Patrick interrompt le récit et interroge :

— J'avais compris qu'il était mort, ton frère ?
— C'est pareil ! Il est dans le coma depuis un an.
— Et que vient faire le livre dans cette histoire ?
— Mon frère en est l'auteur.

En entendant ce rebondissement, Rita ressort le fameux livre de son sac et sa carte Vitale qu'elle tend à Patrick. Elle est submergée de honte comme chaque fois qu'elle lit sur la carte l'infamante mention SNP.

Félix n'a pas menti. Le document ne porte pas de nom, mais un numéro d'immatriculation et les initiales S.N.P. Comme prénom, il y a le surnom de Chevrette. Alors, bouleversé, l'adolescent regarde gravement son amie.

— Rita ! Je te le promets, on trouvera qui tu es. En attendant, je t'adopte à la vie, à la mort. Maintenant, tu fais partie de ma famille, tu es ma sœur et Numa est ton frère.

Ensuite, il prend la main droite de Rita, souffle trois fois sur la paume ouverte puis referme doucement les doigts pâles de la jeune fille sur ses minces doigts noirs. L'adolescente est proche des larmes, pour cacher son émotion, elle prend le bébé dans ses bras et le serre fort contre elle.

En la voyant si émue, Patrick se sent immensément riche. Lui, le sans-papier, le migrant, il possède un véritable trésor : il sait d'où il vient. Il connaît son identité et surtout il a des parents qui l'aiment.

25
Une étrange apparition déstabilise les enfants

Félix a regardé la scène avec un peu de gêne. Il n'a pas l'habitude des démonstrations d'amitié, alors il monte prendre l'air sur le pont... Derrière le pare-brise du poste de pilotage, une silhouette imprécise attend, immobile.

N'écoutant que son courage, le petit garçon se précipite... Un parfum de rose flotte dans l'air.

Quand il entre dans le poste de pilotage, un voile impalpable lui frôle le visage, puis un courant d'air referme la porte derrière lui. Le parfum s'intensifie puis s'évanouit. Le gouvernail tourne doucement, sous l'action d'une main invisible.

Félix jette un œil à l'avant. La péniche s'est détachée du quai et, très lentement, elle se place au milieu du canal. Mais qui est cette apparition qui vient de larguer les amarres ?

Félix dévale l'escalier en hurlant à ses coéquipiers :

— La péniche navigue seule. Y'a une chose étrange là-haut, une espèce de forme humaine transparente. J'ai senti la chose m'effleurait. Et ça sent la rose à plein nez.

Patrick hésite, puis il leur dévoile ce qu'il a vu la veille :

— Moi aussi j'ai vu cette chose hier. Je n'ai rien dit pour pas vous faire peur et puis j'ai pensé que j'avais des hallucinations. C'était une drôle de forme. Quand on est entrés, elle a disparu. Y'avait juste un parfum très fort. Ensuite, le bateau s'est amarré seul… Chez nous, au Rwanda, on dit qu'un esprit erre chez les vivants.

— Un esprit super sympa puisqu'il pilote à notre place, s'esclaffe Félix. C'est plutôt cool. Ça baigne pour nous !

Rita s'insurge contre l'optimisme du petit garçon :

— Ça baigne peut-être pour toi. Mais moi, depuis des jours, j'ai l'impression que ma vie baigne dans le surnaturel, le fantastique. Quand j'emprunte un livre au CDI, il est stupéfiant, les personnages avalent les mots, me sourient, bougent…

Patrick ne veut plus rien entendre. Il leur dit simplement :

— Je monte piloter. Prête-moi ton livre Rita. J'aime bien qu'il soit étrange, il me tiendra compagnie là-haut. Puis il ajoute, Rangez un peu les cabines et occupez-vous de Numa, s'il vous plaît.

Puis le livre de Paul Brio sous le bras, il s'éclipse.

— Il est gonflé, ce mec ! Il nous donne des ordres, rouspète Félix.
— Parce qu'il est soucieux. Il a déjà vécu un voyage terrible pour arriver en France. Le danger, il connaît. Nous devons l'écouter.
Et puis, c'est le plus vieux, il a quinze ans.

— Oh toi ! Bien sûr ! Tu es tombée amoureuse. Tu le regardes avec des yeux de merlan frit dès qu'il ouvre la bouche.
— N'importe quoi ! Tu dis n'importe quoi ! Oh, et puis je ne sais même pas pourquoi je te cause. Je m'occupe du bébé, t'as qu'à aller faire le ménage.

Le bébé s'étire sur la couchette, il ouvre un peu les yeux puis se rendort paisiblement. Rita lui prépare un biberon. Elle est étonnée de voir que l'enfant ne pleure pas. Pourtant, il n'a pas mangé depuis longtemps et devrait avoir faim. Elle lui caresse la joue pour le réveiller. Sa joue est toute douce et ronde. Il s'étire à nouveau, ouvre les yeux et fait un grand sourire à Rita penchée sur lui.

L'adolescente fond de tendresse quand il tend ses petits bras noirs et dodus vers le biberon. Elle le prend dans les bras, lui met la tétine dans la bouche. Le bébé se jette avec avidité sur le lait.

Rita n'en revient pas d'être capable de s'occuper de lui alors qu'elle ne s'est jamais occupée d'un enfant. En le berçant, elle oublie ses tourments et elle câline ce petit garçon qui n'a plus sa maman.

26
Félix rêve et Patrick lit

Pendant le temps où Félix range la cuisine et les cabines, il ronchonne tout en réfléchissant à ce qui s'est passé depuis qu'ils sont montés sur la péniche.

Son intelligence en éveil fonctionne à plein régime. Pour la première fois de sa vie, il a l'impression que sa différence et ses capacités intellectuelles hors norme vont être utiles à ses nouveaux amis.

Dans son esprit enfiévré, les différentes pièces du puzzle s'assemblent bien que de nombreuses questions restent en suspens.

Premier élément suspect : après la chute de Patrick, quelqu'un a placé le cordage sur la trappe pour la masquer.

Deuxième élément inquiétant : un cycliste s'est disputé violemment avec Cap'tain Hue.

Troisième élément, plus que flippant : une ombre voilée de rose pilote la péniche.

Jusqu'à présent, aucune victime n'est à déplorer mais tout est à craindre.

Assis sur une des couchettes, bercé par le ronronnement du moteur, il rêvasse, heureux dans cette aventure car enfin il n'est plus seul, il a des amis.

Pour la première fois depuis la chute de son frère, il s'endort le cœur léger rêvant à une ombre au parfum de rose.

Loin des réflexions de Félix, Patrick s'est installé derrière le gouvernail. La péniche descend tranquillement le canal. Le pilote automatique fonctionne bien et la prochaine écluse est encore loin. Le garçon a du temps, alors il ouvre le livre…

Manifestement, il ne possède pas de don, les illustrations ne s'animent pas sous ses doigts. Le livre reste un livre ordinaire.

— Je n'ai pas le fluide de Rita, pense-t-il légèrement déçu. Puis il hausse les épaules. C'est peut-être mieux comme ça. Des personnages qui bougent, ça craint vraiment !

Ensuite, l'adolescent s'attaque aux notes de bas de page. Rita n'a pas eu le courage de les lire. Comme toutes les astigmates, les très petits caractères sont trop fatigants à déchiffrer pour elle.

Dans ce livre à tiroirs, deux narrations s'entremêlent. Il y a l'épopée de jeunes migrants, une fiction réaliste puis les notes de l'auteur. Celles-ci informent sur une association du nom curieux de « Villages aux yeux fermés ».

L'objet de cette association est de construire des villages dans les arbres pour les enfants orphelins. L'un de ces villages s'appelle le Bout du Monde. Il se trouve sur une île de Méditerranée. L'auteur Paul Brio ne donne pas le nom de l'île. Il fait ainsi un pied de nez au lecteur qui reste sur sa faim.

L'idée des villages a germé dans la tête de trois jeunes gens. Enfants, ils avaient perdu leurs parents dans le crash d'un avion en haute montagne. Ils survécurent à trois dans un village abandonné.

Leur isolement dura cinq ans. Cinq années pendant lesquels les deux plus grands, un garçon et une fille élevèrent le troisième survivant un bébé d'à peine un an.

Quand on les découvrit, ils étaient en parfaite santé et pleinement heureux dans leur coin perdu de montagne.

Devenus adultes, ils créèrent l'association qui s'occupe d'enfants sans parents.

Après avoir fini sa lecture, Patrick comprend mieux la quête de son amie Rita pour trouver le Bout du Monde. Mais s'il veut tenir la promesse faite à son amie, il lui reste à localiser exactement ce village.

27

Le livre de Paul Brio révèle son secret

La journée du lundi passe ainsi à piloter, à naviguer, à lire, à rêver sur le pont... Chacun reprend des forces pour affronter l'avenir.

Pour le moment, les provisions sont largement suffisantes et à tour de rôle, les amis confectionnent les repas de la journée.

Patrick lit tout en surveillant la navigation. Il devient expert dans l'art d'alterner pilotage automatique et manuel. Rita écrit son journal intime et Félix s'occupe le mieux du monde de Numa. Le petit semble ravi de sa drôle de nounou.

Le soir venu, Patrick arrête la péniche dans un coin tranquille puis tout le monde gagne sa couchette et s'endort paisiblement.

Le jour suivant Rita monte tenir compagnie à Patrick déjà au pilotage. Elle lui a apporté son petit déjeuner et pour ne pas le distraire, assise à ses côtés, elle écrit tranquillement son journal.

Mardi 24 septembre

Mon cher journal,

Je n'ai pas beaucoup de temps à te consacrer en ce moment car sur cette péniche on est overbookés entre les écluses, les esprits, le bébé et mes nouveaux amis...

Mais dis-toi que si je n'écris pas beaucoup c'est que je suis en pleine forme. Voilà je te raconte quand même quelque chose d'important qui vient d'arriver. C'est trop extraordinaire !

Ce matin, Patrick est remonté dans la timonerie pour démarrer la péniche. Je sais qu'il a presque terminé le livre, il l'a lu une partie de la nuit.

Il lit bien plus vite que moi. Il est fort ce garçon et très sympa. Ça me change des mecs du collège. Bon donc, écoute ça !

Quand je suis arrivée, il était en train de lire tout en pilotant. Il n'avait pas eu le temps de petit déjeuner. Lire et piloter, c'est du boulot.

Bon, je continue, c'est là que ça devient intéressant. En me voyant avec le petit-déj, Patrick n'a pas fait attention. Il avait tellement faim !

Bref, il a posé Le Bout du Monde sur le rebord d'un hublot et patatras, le bouquin a fait un vol plané ! Je ne te dis pas quel vol.

Je le ramasse vite fait, mais catastrophe un coin de la couverture s'est abîmé. Machinalement, je la lisse. Tu sais que je n'aime pas du tout quand on abîme les livres, pour moi ce sont des amis trop précieux.

Bon, alors je le caresse et pouf ! Tu te doutes de ce qui s'est passé à cause de mon tatouage !

Sitôt effleurée, l'illustration de la couverture s'est mise à bouger. Les visages des enfants de la ronde se sont mixés en un arc-en-ciel de couleurs. C'était superbe !

Patrick n'en revenait pas ! Il m'a dit et je crois qu'il était admiratif :

— Tu as un véritable don, Rita !

Mais attends c'est pas fini ! Y'a encore mieux...

La ronde a tourné si vite que la couverture de mon livre a complètement éclaté. Bingo ! Il y avait un bout de papier jauni à l'intérieur.

J'ai appuyé sur le livre et la ronde s'est arrêtée. Patrick a sorti son canif pour dégager le papier jauni.
Accroche-toi aux branches ! C'est un parchemin aplati.
Incroyable, mon cher Watson...

L'autre jour, Félix nous a dit que son frère était l'auteur de ce livre, on va aller demander des explications au petit surdoué.

C'est pour ça que je te quitte. Je te dis à plus tard quand j'aurai plus de temps ! Bye

Rita range son journal, Patrick met le pilote automatique puis tous deux descendent rejoindre leur ami. Celui-ci, bien reposé, sourit malicieusement :

— Alors, on s'ennuyait sans moi ?

28
Félix raconte l'histoire de son frère Paul

À la vue du livre abîmé, le visage de Félix blêmit.

— Ouh là là ! Le livre de Paul ! s'exclame-t-il.
— Il est tombé, soupire Rita. Regarde. Y'avait ça dans la couverture.

Elle lui tend le parchemin.

— Alors, c'était là qu'il l'avait cachée !

Paul lui avait montré cette lettre parchemin en lui disant :

— Tu la liras quand je l'aurai traduite.

Le jeune garçon poursuit d'une voix étouffée par les sanglots.

— Mon frère était prof. Il traduisait des textes anciens à l'université Paul Valery.

Les trois enfants examinent le manuscrit. Il est écrit à la plume en langue ancienne et la traduction est écrite au crayon au dos du document. Félix confirme que c'est l'écriture de son frère Paul.

Rita bluffée interroge :
— Quel âge, il avait ton frère pour être prof ?

— Vingt-six ans ! C'est un vrai crack, un haut potentiel, comme mon père, comme moi. C'est souvent de famille les surdoués.

— Dis donc, quelle chance vous avez ! s'exclame Rita.

— Pas tant que ce que tu crois, murmure tristement Félix.

Alors pour la première fois depuis l'accident de son frère, il se confie et leur parle de Paul, son héros...

À treize ans, mon frère était fou amoureux d'une jeune fille de seize ans placée dans une famille d'accueil à K. Elle s'appelait Zita. Il ne la quittait pas d'une semelle. Un jour, Zita a disparu sans rien lui dire et sans laisser de traces.

Après ce départ, Paul a fait une sorte de dépression. Il ne mangeait plus, ne dormait plus. Seule la statue de sainte Rita l'apaisait et le consoler. Il se réfugiait près d'elle chaque jour pour l'implorer de retrouver sa Zita.

Plus tard, devenu prof, il a cherché sa bien-aimée partout avant de renoncer et il s'est jeté dans une thèse sur la statue de sainte Rita et sur sa créatrice italienne. Il est même parti en Italie pour ses recherches mais je sais qu'il n'a jamais pu oublier Zita.

— C'est près de cette statue que je t'ai rencontrée l'autre jour, tu te souviens ?

— Oui, c'était mon coin préféré, drôle de coïncidence, remarque Rita avec nostalgie.

— Quand vous aurez fini d'échanger vos souvenirs, on pourra lire le parchemin, plaisante Patrick avec un brin d'impatience.

Les deux autres un peu gênés baissent la tête puis tous trois commencent à lire...

29
Le trio déchiffre la lettre parchemin

La lettre ancienne traduite par Paul est très émouvante. Le jeune homme n'ayant pas traduit la date écrite en vieil italien, cela ajoute un brin de mystère.

À Pistoia, li anno millecinquecento vente 7bre

Chère Rita,

Lorsque vous étiez jeune, le comte de Kalliste, votre époux, avait commandé à ma fille une statue à votre image. Pour vous sculpter, elle travailla jour et nuit avec passion. Vous étiez si belle dans votre voile rose.

Mais chère Rita, vous devez savoir que demain ma fille sera brûlée vive pour sorcellerie.

Un homme l'a accusée d'être une empoisonneuse. Il a juré sous serment qu'elle couvrait ses sculptures d'une peinture diabolique.

Je jure que ma fille n'est pas une sorcière. C'est une grande artiste doublée d'une chimiste exceptionnelle. Elle est parvenue à fabriquer une peinture qui laisse une empreinte indélébile.

Elle a peint les roses de votre tablier avec cette peinture pour que son œuvre traverse les siècles.

Mais chère amie ! Une trace bleue n'a jamais empoisonné personne !

J'accorde que ma fille s'est livrée à un jeu dangereux, par contre son fils Nino n'est pas responsable de l'inconséquence de sa mère.

Ma chère Rita, vous qui fûtes l'avocate des causes désespérées, je vous supplie d'intercéder auprès du comte de Kalliste afin qu'il libère Nino, emprisonné avec sa mère. Mon petit fils a tout juste six ans, ce n'est qu'un enfant innocent.

Cet innocent est déjà orphelin de père. Si le comte accepte de le libérer, je m'engage à quitter Pistoia et à élever mon petit fils dans le droit chemin. J'irai m'établir en Corse. Je jure que les gens de Pistoia n'entendront plus jamais parler de notre famille.

Votre très dévouée servante, Amalia di Arturo

Après la lecture de ce texte poignant, les trois amis restent silencieux. Ils ont été plongés plusieurs siècles en arrière et pourtant des liens se tissent avec leur propre vie.

La fillette pensive montre les empreintes bleues sur ses doigts.

— Vous croyez que mes tatouages peuvent provenir d'une peinture aussi ancienne ?

— Possible, dit Félix. Juste avant son accident, Paul avait envoyé des échantillons de la peinture à un labo. Il attendait les résultats.

— Quel a été le destin de Nino, de sa mère et d'Amalia la grand-mère ? se demande Patrick.

Rita, ravie de briller aux yeux de son grand ami, raconte que les femmes accusées de sorcellerie étaient mises à mort sur un bûcher ou noyées. Quant à Nino, comme habituellement on ne brûlait pas les enfants, on peut supposer qu'il est parti en Corse avec sa grand-mère Amalia.

Plongés en plein Moyen Âge, les enfants en ont oublié les problèmes de navigation.

Mais voici que la prochaine écluse s'annonce et celle-ci n'est pas automatisée. Il va falloir la jouer fine pour ne pas être repérés par l'éclusier. Les enfants se précipitent au bastingage pour regarder où en est le bateau. Celui-ci continue tranquillement sa descente.

Pour l'instant, la péniche est la seule embarcation sur l'eau et personne à pied ou à vélo ne longe le canal. Il faut dire qu'en cette fin septembre, les touristes se font rares. Le paysage flamboie aux couleurs de l'automne. Les vignes bordant le chemin de halage ont pris des teintes rousses et leurs sarments ploient sous de lourdes grappes de raisin. Les vendanges s'annoncent bonnes !

— Les vendangeurs risquent de nous repérer. Comment éviter leurs regards et passer l'écluse ? interroge Rita.
— En se déguisant, s'écrie Félix. Patrick, avec ta grande taille, tu peux mettre la veste de Captain Hue pour piloter. Rita et moi, on se débrouillera.

Le plan d'action arrêté, tout le monde s'active car l'écluse se profile au loin. Patrick enfile la veste du Capitaine, puis dans son nouvel habit, il file au poste de pilotage.

En bas, dans la cabine, le bébé dort tranquillement. Félix et Rita l'admirent en silence.

Soudain, un bruit de pas au-dessus de leur tête les fait sursauter. Félix fait signe à Rita de ne pas bouger. Il monte à pas de loup sur le pont et voit un des cyclistes venus le matin pénétrer dans la timonerie…

30
Un cycliste revendique la propriété de la péniche

Des éclats de voix retentissent depuis la timonerie.

— Petit morveux ! Je pensais pourtant m'être débarrassé de toi dans la cale.

— C'était vous pour la cale ? Vous qui m'avez poussé ? Mais qu'est-ce que je vous ai fait ?

— Vous avez envoûté mon oncle. Il s'est entiché de votre satanée famille. C'est moi son héritier, espèce de s… ?

— Votre oncle, le pauvre maintenant il est à l'hôpital !

— Je sais. Il a pas encore cassé sa pipe mais il en est pas loin. Le vieux s'est mis en tête de t'adopter. Il m'a demandé de l'aider pour ça. Tu parles que je risque de le faire !

— Et mes parents ?

— Ils sont en centre de transit. J'ai dit à mon oncle que je veillerais sur vous, s'il me donnait la péniche. Pour info, t'es tombé tout seul, mon gars. J'ai seulement poussé le cordage sur la trappe. Le gamin de ce matin, il est où ?

— Il est reparti. Il voulait juste visiter la péniche.

— Quel foutu menteur tu fais ! Mais t'inquiète, je le retrouverai, ce salopiot. On réglera ça plus tard. Pour l'instant, tu mouftes pas, compris. L'éclusier est un pote à moi. Il te dénoncera sans état d'âme si je le lui demande.

L'éclusier qui n'a pas été dupe du déguisement de Patrick vient de sauter sur le pont. Il apostrophe son copain.

— Yvan, tu te fous de moi ? Laisser un gamin à la barre ! Où est ton oncle ?

— À l'hosto.

L'homme prévient qu'il va avertir la police, puis finalement, après avoir discuté avec Yvan, il change d'avis et accepte de les laisser passer si celui-ci reste aux commandes.

Alors ce dernier ordonne à Patrick de regagner la cabine et de s'y tenir à carreau. Félix redescend avec lui.

31

Le trio est obligé d'abandonner la péniche

Pendant que les hommes sont à la manœuvre, les trois enfants discutent.

— On doit quitter la péniche pendant que les deux là-haut sont aux manœuvres.

— On court vers le pont arrière, on saute sur le quai et dès qu'ils lancent les amarres, on se barre. Ils sont tellement occupés, qu'ils n'y verront que du feu.

— Avec Numa, je ne pourrai pas sauter, souffle Rita.

— T'inquiète. Je vais l'attacher sur mon dos comme faisait ma mère. Après on se cache dans la maison de l'éclusier. Y'a peu de risques que l'homme revienne. Quand il y a des péniches, l'éclusier doit rester près de son écluse.

Silencieusement, Rita prend le sac à dos, le livre, le biberon du bébé et la carte d'état-major.

Patrick attache le petit dans son dos avec un pagne de sa mère. Félix prend le chien par le collier. Tout le monde monte sans bruit jusqu'au pont arrière.

Dès que la péniche est près du bord, les amis sautent sur le quai et courent à découvert vers la maison située à une dizaine de mètres. Le chien les précède. Personne ne fait attention à eux. L'éclusier est en plein travail et le neveu est à la manœuvre.

La porte de la petite maison est fermée à clé, mais Patou qui les devance, la contourne et les conduit vers une cabane à outils située dans le jardin de derrière. Dans la cabane, les enfants se remettent peu à peu de leur course effrénée.

Cependant, bébé commence à se réveiller et à gazouiller.

— Mince, j'ai oublié le lait ! S'il a faim, il va se mettre à pleurer, s'inquiète Rita.
On va nous repérer.
Patou comme s'il avait compris l'enjeu, se faufile dans la maison par une porte-fenêtre entrebâillée puis il émet un aboiement bref pour les appeler. Félix le rejoint et revient bientôt avec du lait et une baguette de pain pris dans la cuisine.

— Je n'ai pris que ça. Fallait pas que ça se remarque…
— Bravo, Félix, on a de quoi tenir la journée. De toute façon, faut vite se barrer. Nous sommes trop près du canal, déclare Patrick.

Le bruit d'un train qui passe proche les fait sursauter.

— Le train ! Ce serait le meilleur moyen. Faudrait trouver la gare et acheter des billets mais on n'a pas d'argent, soupire Patrick.

Rita qui prépare le biberon du petit n'a pas participé à la discussion, mais elle a entendu le mot argent.

— Félix, t'en as de l'argent ! Tu m'as dit que tu en avais pris à ton père avant de partir.
— Mais je voulais l'utiliser en cas de coup dur.
— Tu trouves que ce n'est pas un coup dur d'être ici ? Je ne sais pas ce qu'il te faut.
— Bon d'accord ! D'accord ! Le voilà mon fric, rouspète-t-il.

Il se déchausse, sort des billets de dix euros de ses chaussures. Rita les prend, dégoûtée en plissant le nez. On dit que l'argent n'a pas d'odeur, mais celui-là sent les pieds pas lavés depuis longtemps.

De son côté, Patrick déplie la carte pour chercher la gare la plus proche.

— Va falloir aller jusqu'à Béziers ! Là-bas, nous prendrons un train pour Marseille.

— C'est quoi cette idée de Marseille ? interroge Rita surprise. On ne va plus à Sète ?

— Ça, c'était avec Captain Hue. Si ton Bout du monde est quelque part d'après ce que j'ai compris, c'est sur une île. De Marseille, on ira en Corse.

— À Marseille, on se fera moins remarquer, commente Félix. C'est une grande ville.

— Va pour Marseille, opine Rita Mais comment aller jusqu'à Béziers ?

32

Ils découvrent un nouveau moyen de transport

Deux vélos suspendus sur une paroi de la cabane leur tendent les bras. Il y a un tandem et une bicyclette.

— Les amis, on part à vélo ! dit Patrick enthousiaste.

Rita hésite, elle est gênée. Ces vélos ne sont pas à eux.

— Je n'aime pas prendre sans demander. Et si l'éclusier en a besoin ? dit-elle timidement.
— T'inquiète ! On les lui laissera à la gare avec un mot, la rassure Patrick.
— Ouais, ce n'est qu'un emprunt ! renchérit Félix.
— Bon, d'accord pour l'emprunt mais je ferai un mot d'excuse, conclut Rita.

Les garçons décrochent les deux machines poussiéreuses mais en état de marche. Le bébé reprend sa place sur le dos de Patrick qui enfourche le tandem.

— Tu montes derrière moi, Rita ? Ce sera plus facile pour toi.

Rita s'apprête à monter derrière l'adolescent lorsqu'elle voit la mine déconfite de Félix.

— Tu préfères le tandem ? lui demande-t-elle.

— C'est pas que je préfère, soupire le petit garçon. C'est que je ne sais pas faire du vélo. Mon père, ça l'énervait tellement que j'y arrive pas qu'il balançait mon vélo par terre. Ça me bloquait complètement.

— Alors, monte avec Patrick. Tu apprendras à pédaler. Pour la conduite, tu n'auras rien à faire.

Une fois tout le monde en selle, Patou ouvre la route. Les enfants s'engagent sur le chemin de halage mais ils doivent vite s'en éloigner car on pourrait les voir de la péniche.

Alors Patrick prend une petite route qui coupe la voie ferrée puis la longe. Le talus de ballast de la voie les protègera des regards pouvant venir du canal.

Le tandem est difficile à manier car le bébé pèse lourd. Félix n'est pas d'une grande aide, il a du mal à coordonner ses mouvements.

Du coup, le trio n'avance pas vite mais chacun se sent à l'abri des deux hommes.

Le chien gambade joyeusement et Rita, ivre de liberté, chante à tue-tête :

Rire pour ne pas pleurer,
C'est ma devise de SNP
C'est sa devise de Sans papier
C'est sa devise de surdoué
La vie à nous de la transformer
Bougeons nos pieds ! Bougeons nos pieds !

Petit à petit, Félix s'enhardit, il pédale de mieux en mieux. Fier d'avoir dompté le pédalier, son cerveau de surdoué bouillonne d'idées.

— Trouver de quoi boire et manger.

— Ne pas aller à la gare parce que les flics y sont nombreux.

— Continuer à vélo puis récupérer la péniche.

— Trouver un stratagème pour éloigner le neveu du bateau.

Surexcité, il tape sur l'épaule de Patrick pour lui en parler. L'adolescent s'arrête au milieu du chemin. Rita ne peut pas les éviter et après un véritable vol plané, elle atterrit sur le talus.

Elle est un peu sonnée et ses genoux sont en sang !

— Rita, tu as mal ? Tu as mal où ? hurle Félix.

La fillette montre ses genoux écorchés. Elle a également mal à la tête mais elle rassure les garçons :

— Ça va aller. Mais vous êtes fous de vous arrêter comme ça.
— C'est ma faute, balbutie Félix. Mais fallait que je vous dise. La gare, c'est trop dangereux. Vaut mieux récupérer la péniche et j'ai un plan…

33
Un stratagème pour reprendre la péniche

Le plan de Félix est machiavélique. Rita en est la pièce maîtresse car elle est la seule qu'Yvan le neveu ne connaisse pas. Elle ira le trouver sur la péniche et lui apportera un faux message de Patrick disant que celui-ci est allé à l'hôpital pour les papiers de l'adoption.

— Yvan aura tellement peur pour son héritage qu'il se précipitera à l'hôpital. Pendant ce temps, on récupèrera la péniche et on se barrera avec.

— Un peu tiré par les cheveux, ton truc, rigole Patrick. Mais ça se tente. Je l'écris sur quoi mon message ?

— Prends une page de mon journal et mon stylo, propose Rita avec excitation.

Le message écrit, les enfants pédalent encore quelque temps mais ils sont affamés. Ça fait des heures qu'ils n'ont rien mangé.

Ils s'arrêtent près d'un verger qui borde la route. Des pommiers sont chargés de fruits. Félix se précipite et remplit ses poches, bientôt rejoint par ses amis.

— On ne mourra pas de faim, se réjouit le petit garçon. Pour l'eau, on attendra d'être sur la péniche.

Ils repartent pédaler avec ardeur car ils désirent s'approcher le plus possible de l'embarcation.

À présent, Félix est devenu un pro du pédalage et les enfants avancent vite. Ils retournent sur le chemin de halage et aperçoivent leur péniche qui avance, majestueuse, à quelques centaines de mètres devant eux.

— C'est le moment, Rita ! Vas-y. Nous, on se planque et on t'attend, lui souffle Félix.

Rita s'élance, pédalant fort pour rattraper le bateau. Les deux autres sont descendus du tandem et ils se cachent derrière un bosquet de lauriers roses qui bordent le chemin.

Quand Rita, suante et soufflante, arrive près de la péniche, Yvan est dans le poste de pilotage. Il ne voit pas la fillette. Elle s'époumone et gesticule pour attirer son attention. Elle crie encore plus fort en agitant le message.

L'homme a compris. Il approche la péniche du quai et stoppe le moteur.

— C'est moi que tu appelles comme ça ?
— Oui ! J'ai un message pour un certain Yvan. Est-ce vous ? Et elle agite son papier.
— Qu'est-ce que c'est que cette histoire ?

Rita ment à merveille. Elle lui raconte comment elle a rencontré un garçon qui…

Le neveu gobe toute l'histoire.
Il se penche par-dessus le bastingage pour récupérer le papier qu'il lit. Son visage devient rouge brique et fou furieux, il hurle :

— Le petit s… Je vais lui montrer de quel bois je me chauffe !

Puis il se calme et remercie la jeune fille. Il va remettre la péniche plein gaz lorsque Rita l'interroge poliment :

— Je peux venir avec vous ? Je ne suis jamais montée sur une péniche.

— Ce n'est pas le moment, mademoiselle, je dois partir en ville, je vais m'amarrer un peu plus bas.

— Quel dommage ! Une autre fois, peut-être. Au revoir, monsieur.

Bravo, Rita ! Bien joué ! Elle a le renseignement dont ils ont besoin. Yvan part à Toulouse.

Très contente d'elle, elle retrouve les garçons qui piaffent d'impatience.

— Il va s'amarrer plus bas. On a juste à attendre qu'il ait quitté la péniche, assure-t-elle très fière aux deux autres.

34
La stratégie des enfants est couronnée de succès

Pour les faire patienter, la jeune fille suggère de pique-niquer avec la baguette de pain et les pommes fraîchement cueillies. Le bébé a droit aussi à son croûton de pain et à un morceau de pomme. Il est toujours dans le dos de son frère et cela semble lui convenir parfaitement car il gazouille gaiement.

Après une pause suffisamment longue pour assurer leur sécurité, les enfants reprennent tandem et vélo. Ils ne sont pas pressés car le neveu n'est pas près de revenir de l'hôpital de Toulouse.

Quelques kilomètres en aval, ils trouvent la péniche attachée à un gros anneau scellé sur le quai. Son reflet rouge et noir miroite dans l'eau verte, elle semble les attendre tranquillement bercée par le canal.

Rapidement, vélo et tandem sont hissés à bord. Puis c'est le tour du chien et enfin des quatre enfants. Chacun soupire d'aise en se retrouvant sur le pont.

En marinier aguerri, Patrick détache l'amarre puis il file au poste de pilotage. Numa est confié à Rita. Elle va le déposer dans le hamac. Le bébé en retrouvant sa mini balancelle esquisse un sourire ravi et s'endort.

L'adolescente est épuisée, elle s'écroule sur les coussins jaunes de son transat.

— Ouf ! Qu'on est bien chez soi ! soupire-t-elle.

Félix, horrifié mais admiratif contemple les genoux en sang de sa copine.

— Tu as pédalé avec ça ? T'es une sacrée dure à cuire.

C'est le premier compliment qu'il lui adresse et Rita en est tout émue. Pour se donner une contenance, elle rouspète :

— Arrête de regarder mes genoux et va plutôt me chercher de quoi les désinfecter. Si tu peux aussi me rapporter à boire, je meurs de soif.

Félix obéit. Il monte dans la timonerie chercher la trousse de secours. Patrick aux commandes a un air très sérieux et responsable. Le petit garçon lui propose gentiment :

— Tu veux boire quelque chose toi aussi ? Puis il ajoute : je vais soigner Rita.
— Je prendrais bien un Coca. Y'en a un stock dans une grande glacière bleue sur le pont arrière. Rita a mal ? s'inquiète-t-il encore.
— Oui mais elle est courageuse, elle ne le dit pas. Je vais chercher le Coca, je soigne l'éclopée et je remonte. À toute.

Félix descend sur le pont arrière.

La glacière est coincée entre deux caisses en bois. Il essaie de les déplacer mais elles sont si lourdes qu'il n'y arrive pas. Il soulève le couvercle de la plus grande. Quelle découverte ! Le garçon est ébahi. Une statue de bois peint est couchée dans la grande caisse. Après quelques secondes de sidération, il réagit et appelle son amie.

— Rita, viens voir. On a une sacrée surprise !

Rita ne bouge pas, pensant que comme toujours, Félix exagère.

Puis comme il l'appelle à nouveau, pour lui faire plaisir, malgré son épuisement, elle se lève et le rejoint…

35

Des caisses pleines de surprises

Félix cède la place à son amie. Elle regarde stupéfaite le contenu de la caisse.

Sainte Rita est là ! La statue de K, celle qui se tenait devant les ruines, celle qui console.

Les deux enfants n'en croient pas leurs yeux. Félix en a oublié les boissons.

La sculpture est toujours aussi belle avec son voile rose et son tablier rempli de fleurs. Un violent parfum de rose monte de sa caisse.

Rita est troublée puis elle se souvient de la stèle vide lors de sa visite d'adieu à l'orphelinat.

Tout s'explique à présent.

Mais comment a-t-elle atterri sur la péniche ?

Qui lui a fait faire ce voyage ?

Que de coïncidences et quelles retrouvailles magiques entre la statue de bois venue de la ville de K et les deux enfants fugueurs de K.

Félix qui a repris ses esprits interrompt les cogitations de Rita :

— Patrick saura peut-être quelque chose. C'est lui qui m'a envoyé chercher la glacière sur le pont...

En disant cela, il dégage la glacière bleue.

Elle est pleine de canettes de coca, de jus de fruits et de bières.

Rita revenue de sa surprise s'empresse de regarder ce qu'il y a dans la deuxième caisse en bois. Elle s'exclame ravie :
— Des coffrets de parfums ! Regarde Félix. Ils sont tous à la rose.

Félix soulève les parfums et découvre des dizaines de cartouches de cigarettes cachées sous les parfums.

— Je pense que c'est de la contrebande ! Patrick crie-t-il à son ami, descends voir ce qu'on a trouvé.
Patrick enclenche le pilote automatique et les rejoint.
Ahuri, devant la quantité de cigarettes et de parfums, il assure :

— Des cartouches de contrebande ! Le capitaine n'aurait jamais fait ça.
— Et son neveu ? suggère Rita.
— Possible ! Je pense que ce type a chargé les caisses en douce.
Voilà la raison de leur dispute. Après, le capitaine n'était pas bien du tout. Il avait l'air très contrarié.

Les enfants lisent alors les étiquettes collées sur les couvercles. Les caisses ont deux destinataires différents : La Confrérie des arts à Bastia pour la statue et Marcel Dumas à Béziers pour les cigarettes et les parfums.

Alors le trio fait des supputations.
Le chargement de marchandise de contrebande s'explique facilement.
Mais la présence de la statue dans la caisse, le parfum de rose qui s'en dégage et la ressemblance entre la sculpture et la silhouette aperçue dans la timonerie sont plus étranges.

— Sainte Rita aurait-elle des pouvoirs de téléportation, pour parvenir à sortir d'une caisse et à monter au poste de pilotage ? se demandent les enfants.

Des hurlements les rappellent à la vie quotidienne. Le bébé hoquette de douleur dans son hamac en montrant sa jambe. Une guêpe vient de le piquer sur son mollet dodu.

— J'espère qu'il n'est pas allergique, s'inquiète Rita.

Patrick connaît les pouvoirs apaisants de l'eau de rose. Il va chercher un flacon dans la caisse puis il en vaporise sur la jambe de son frère. Le bébé se calme.

Mais curieusement, les effluves du parfum ont mis l'adolescent dans un état hypnotique. Les yeux clos, il parle d'une voix blanche :

— Qui a appelé à l'aide une disparue ? Elle est venue spectrale des ténèbres à travers les siècles. Les forces de l'esprit sont plus fortes que la mort.

Pour alléger l'atmosphère devenue un peu trop space à son goût, Félix taquine son amie :

— Chevrette, c'est toi qui as fait revenir sainte Rita ? Je sais que tu aimais taper la conversation avec la statue.
— Je t'ai déjà dit de ne plus m'appeler Chevrette. C'est vrai ! Souvent, j'ai imploré Rita. Je lui ai demandé aide et protection. Mais de là à croire qu'elle a répondu à mon appel, il y a de la marge.
Patrick, qui a quitté son état hypnotique, dit gentiment à son amie.
— Peu importe d'où est venue l'aide. Ce qui compte, c'est qu'on en ait bénéficié pour naviguer.
— Si cela pouvait continuer, ce serait super, dit Félix avec humour.

Fanfaron et rigolard, il file sur le pont arrière, met la statue debout et plaisante avec elle, en la caressant :

— Tu nous protègeras mieux si tu peux voir tout ce qui se passe sur le bateau.

Ensuite, les amis montent dans la timonerie, mettre au point leur plan de voyage. Patrick montre sur la carte le trajet qui leur reste à faire pour atteindre Béziers :

— Nous descendrons le canal le loin plus possible avant le retour d'Yvan. Vous pouvez aller dormir. Moi, je reste aux commandes. Je veux naviguer de nuit.
— Et les écluses ? questionne Félix.
— Il n'y en a pas pendant un bon moment. Le vrai problème, c'est Yvan, mais on avisera demain.

Alors Rita se tourne vers la statue que Félix a dressée à la poupe du bateau.

Mais statue et caisses ont disparu. Le pont arrière est vide.
La jeune fille descend très vite suivie par ses deux compagnons.

Aucune trace de leur statue… ni des autres caisses.
Ils se regardent stupéfaits.

36
L'étrange règne sur la péniche

Soudain, la sirène mugit. Ils lèvent la tête.

Là-haut dans la timonerie, une ombre passe auréolée d'une lumière blanche… Un fort parfum de rose embrase l'air ambiant.

Pétrifiés, ils n'arrivent pas à se parler. Le temps semble s'allonger à l'infini, l'air saturé de parfum les suffoque. L'aboiement furieux de Patou rompt le charme. Ils se secouent sonnés.

Derrière eux, sur le pont, les caisses et la glacière ont regagné leur place. Patrick monte inspecter le poste, puis il redescend raconter à voix basse ce qu'il a vu :

— Il n'y a personne, seul le gouvernail bouge sous une main invisible. La péniche avance droit. C'est vraiment très spécial. Quelque chose m'a effleuré.

Rita lui demande effrayée :

— Tu es sûr que ce n'est pas le pilote automatique ?
— Certain, il est sur off. Manifestement, une chose invisible est au gouvernail.
— Une chose invisible qui sent la rose, plaisante Félix pour détendre l'atmosphère.

Alors une sourde inquiétude monte car ils n'ont aucune certitude sur la suite des évènements, ils se décident tout de même à aller manger.

Rita pointe les provisions du placard :

— Faut se rationner, les gars, ou s'arrêter près d'un village. Bientôt, il n'y aura plus de lait pour Numa.
— Qui est capable d'aller dire à notre pilote fantôme de s'arrêter ? Toi, Rita ? rigole Félix.

Rita se pique et déclare vexée :

— J'y vais puisque tu crois qu'elle obéit aux forces de mon esprit.

Patrick l'arrête :

— Vaut mieux rester ensemble ! Pour l'instant, on a de quoi manger.

Des boîtes de maïs et de sardines à l'huile sont vite englouties. Le bébé a droit à son biberon qu'il liquide en moins de deux.

— C'est l'heure du dodo, déclare Patrick. Demain, on avisera. Aujourd'hui, faisons confiance à l'esprit qui nous guide.

On s'installe sur les couchettes, Rita avec Numa, Félix avec Patrick et tout le monde s'endort... sauf la mystérieuse pilote.

Un arrêt brutal du moteur les réveille le lendemain.

Patrick grimpe sur le pont et découvre le bateau amarré contre le quai. À quelques mètres de la péniche, près du chemin de halage, se dresse une jolie chapelle blanche.

Le lieu est magique.

Rita venue rejoindre Patrick s'émerveille devant ce bel endroit.

— C'est trop chouette ! J'ai envie de descendre visiter la chapelle.

Félix, arrivé derrière elle, lui suggère timidement :

— Et si tu allais plutôt demander à ta copine là-haut pourquoi on est en rade ici.

— J'y vais. Je ne crains pas les esprits, plaisante Patrick avant de jeter un coup d'œil au pont arrière.

— Les amis, la statue est à nouveau sur le pont, s'étonne-t-il.

— Normal ! commente Rita. Elle a amarré la péniche. Sa mission accomplie, elle a regagné sa caisse. Je commence à comprendre le surnaturel.

Puis joyeuse, elle saute sur le quai et part vers la chapelle en ajoutant :

— Attention à Numa, les garçons. Il risque de tomber de la couchette.

Les garçons descendent en vitesse dans la cabine où le bébé dort à poings fermés.

37

Une chapelle révèle son secret

Patrick reste avec son frère mais Félix rejoint Rita.

— Je viens avec toi. On ne sait jamais.

Les deux enfants arrivent devant la petite chapelle dont la porte est fermée à clé.

Patou a lui aussi sauté sur le quai. Il gambade joyeusement sur le chemin.

C'est alors que, pris d'un besoin urgent, il s'installe devant l'édifice pour faire une belle crotte près d'une grosse pierre.

— Oh non, Patou, t'es dégoûtant !

Rita arrache une touffe d'herbe pour enlever l'excrément. En faisant cela, elle trouve une clé à moitié cachée sous la pierre.

— On peut entrer ! s'écrie-t-elle en brandissant la clé.

L'intérieur de la chapelle est blanc, peint à la chaux. Plusieurs peintures de péniches sont accrochées aux murs et les ex-voto sont tous dédiés à sainte Rita.

Une niche vide semble attendre sa statue. Au-dessous de la niche, un remerciement datant de 1918 est gravé en lettres dorées. Félix le lit à voix haute.

« Merci, Rita, d'avoir sauvé mon fils de la noyade. »

— C'est la niche de notre statue, souffle l'adolescente. La statue nous a amenés là exprès, s'extasie Rita.

— Ouais ! C'est possible, approuve Félix.

— Tu te rends compte. C'est fantastique.

Tout en discutant, ils regagnent la péniche. Patrick les attend sur le pont, le bébé dans les bras. Il les apostrophe inquiet.

— S'il vous plaît, récupérez Numa. Je dois redémarrer la péniche en vitesse. Yvan peut revenir d'un moment à l'autre. C'était comment la chapelle ?

Au lieu de répondre, Félix le supplie de ne pas repartir tout de suite.

— J'ai compris quelque chose d'important, explique-t-il. Venez avec moi.

Il les amène près de la caisse de la statue qui les attend, sagement couchée.

Plusieurs évènements extraordinaires vont alors s'enchaîner si vite que Rita les confiera ensuite à son ami de papier afin d'en garder une trace.

Mercredi 25 septembre

Mon cher journal,

Je t'ai pas mal délaissé ces temps-ci, mais je ne t'oublie pas ! Tu es le confident de mes secrets les plus intimes. Alors voilà ! Je te raconte...

Félix nous a entraînés dans une entreprise qui a viré au cauchemar.

Il voulait remettre la statue de Rita dans la niche de la chapelle.
Nous la soulevons difficilement tous les trois car elle est fragile et assez lourde. Elle est attaquée par les vers. Il faut faire très attention.

On arrive à la porter jusqu'au bastingage. Patrick saute sur le quai pour la récupérer. Félix et moi, nous essayons de la faire passer par-dessus bord. Mais c'est trop difficile. Alors, nous la déposons à moitié sur la rambarde en fer. Puis il faut la pousser pour que Patrick puisse l'attraper.

Je dis à Félix de faire très attention.
Mais cet idiot pousse de toutes ses forces.
Ce qui devait arriver arriva.

La tête de Sainte Rita, décapitée par le fer de la rambarde, tombe à l'eau !

Je suis tétanisée. J'ai le corps sans tête de Sainte Rita dans les bras. Félix se fait tout petit derrière moi. Patrick regarde impuissant sur le quai. Mes larmes coulent sur le corps mutilé de la statue. Celui-ci tient en équilibre précaire sur le garde-corps.

La suite, personne ne pourrait la croire ! Et si je ne l'avais pas vue, je ne l'aurais pas cru.

Mon cher journal, figure-toi que la tête de Rita a flotté un instant avant de s'enfoncer dans l'eau du canal.

Puis, le reste du corps m'a échappé. Il s'est envolé très haut aussi léger qu'un oiseau, il a tourné un long moment en toupie, puis il s'est abîmé à son tour dans l'eau sombre, à l'endroit exact où la tête avait disparu.

Catastrophée d'avoir perdu ma protectrice, je ne pouvais plus m'arrêter de pleurer. Félix, coupable, n'osait pas me regarder. Patrick a été le seul à garder son sang-froid. Il est remonté sur le bateau et a dit qu'il fallait oublier la statue et partir...

Mais j'ai voulu revoir une dernière fois la chapelle. J'y suis retournée. Une lumière apaisante baignait l'endroit. Je suis entrée et j'ai refermé la porte derrière moi. Je me suis assise sur un banc pour pleurer. Il n'y avait personne.
Soudain, un puissant parfum de rose a envahi la chapelle.

J'ai regardé la niche. Ma statue était là, aussi parfaite que si elle venait d'être sculptée.

Je suis ressortie doucement, je suis remontée sur la péniche mais je n'ai pas soufflé mot aux garçons de ce que j'avais vu. J'avais envie de garder le secret de Rita pour moi.

Au revoir, mon journal, j'entends qu'ils m'appellent...

Et Rita rejoint ses amis pour un nouveau départ...

38
Le neveu refait surface, pas content du tout !

Patrick a repris son poste de pilote, il démarre le moteur. Rita, devenue experte, détache la corde d'amarrage et libère la péniche. Félix distrait Numa en lui faisant des grimaces abominables que le petit essaie de reproduire.

La péniche avance sur le canal. La prochaine écluse nécessitera un éclusier mais les amis ont décidé de faire confiance à leur bonne étoile. Rita range son journal, soulagée de s'être confiée à son ami de papier.

La péniche poursuit son lent voyage vers Béziers.
Félix et Rita ont installé leurs transats à la proue du bateau. Ils guetteront l'arrivée du neveu du capitaine.

Rita est inquiète car si le neveu s'aperçoit de la disparition de la statue, elle et ses amis auront de sacrés ennuis. Alors avant de se poser sur un transat, elle remplit la caisse vide avec tout ce qui lui tombe de lourd sous la main, puis elle cloue bien le couvercle.

Peu de temps après, dans le lointain, les enfants distinguent un cycliste. Félix bondit sur ses pieds.

— C'est lui. C'est Yvan ! Je monte prévenir Patrick.

L'homme se rapproche à vive allure. Rita s'inquiète. Ne va-t-il pas la reconnaître ?

À présent, le cycliste hurle en pédalant :

— Arrêtez immédiatement cette péniche ou j'appelle les flics !

Il a reconnu Rita et vocifère :

— Sale gamine ! Tu ne perds rien pour attendre. Me filer un faux message. Dis à ton copain de stopper ou je vous bute.

Rita crie à Patrick de stopper le moteur. Le garçon ralentit la péniche tandis que Félix court se cacher dans les cabines.

À présent, cycliste et péniche vont à la même allure. Yvan leur ordonne de s'approcher du quai.

Sitôt le bateau près de lui, l'homme lâche son vélo et saute sur le pont.

Très vite, il monte dans la timonerie, écarte Patrick et enclenche le pilote automatique. Ensuite à grands coups de pied aux fesses, il fait dévaler l'escalier au garçon. Les yeux mauvais, il éructe :

— Si toi ou ta petite copine bougez d'un poil, je vous jette à l'eau et je vous enfonce avec cette gaffe. Pigé ?

Les deux enfants acquiescent tremblants, puis l'écoutent déblatérer contre son oncle.

Arrivé à Toulouse Yvan a compris que les gamins s'étaient foutus de lui mais comme le vieux allait très mal, il est resté pour ne pas le fâcher.

Assisté par une infirmière, son oncle lui a lu son testament. À sa mort, Yvan deviendrait propriétaire de la péniche. La seule condition est qu'il s'occupe correctement de la famille rwandaise. Le capitaine lui a ensuite donné les papiers de régularisation de Patrick et de sa famille. Tout était en ordre administrativement.

Yvan agite alors les papiers officiels sous le nez des ados puis il ricane, goguenard :

— C'est moi qui ai tes papiers Patrick. Si tu obéis, ça ira, sinon tant pis, le canal est bien pratique. Quant au vieux, m'étonnerait qu'il s'en tire !

Patrick est tellement malheureux pour le capitaine qu'il ne réalise pas que sa famille est régularisée, libre de vivre en France, mais Rita a parfaitement compris.

Elle tente d'amadouer Yvan en lui demandant d'une voix admirative :

— Alors la péniche sera bientôt à vous ?
— Exact ! T'es une petite maligne toi. Qu'est-ce que tu fiches sur ma péniche ?
— Je voulais faire un tour. C'était l'occasion.

Et pour détourner la conversation, elle questionne innocemment :

— C'est à vous ces caisses sur le pont ? Il y en a une qu'on n'a pas pu ouvrir mais l'autre, on dirait des trucs de contrebande. Ça intéresserait sûrement mon père. Il est gendarme.

Visiblement, elle a touché un point sensible. Le neveu devient tout rouge et il se justifie :

— La caisse de cigarettes est à mon pote Marcel. Il la récupèrera à Béziers. Quant à vous, Mademoiselle la curieuse, vous allez repartir immédiatement chez votre paternel. Je n'aime pas qu'on me menace.

Pour ne pas envenimer les choses, Patrick lui demande très poliment :

— Et l'autre caisse ? Elle est aussi à Marcel ?

Curieusement, Yvan se laisse avoir comme un bleu et il répond fier de lui :

— L'autre, c'est mon business. Je la convoie demain jusqu'à Bastia avec le camping-car de Marcel. On embarque à Marseille. Ton frère et toi vous venez avec moi. D'ailleurs, il est où le mioche ?

39
Rita élabore un plan de sauvetage

Une idée vient de germer dans l'esprit en alerte de Rita. Elle s'empresse de répondre au neveu.

— Numa dort. Je descends le chercher dans la cabine.

En bas, Félix s'est caché sous la couette, honteux de sa boulette avec la statue, il ose à peine interroger Rita :

— Alors ce neveu ? Dangereux ou pas ?

— J'en sais trop rien. Il a des accès de colère mais il n'a pas l'air très futé. Il veut que je m'en aille. Pour pas avoir de témoin, je suppose.

— Ouh là là ! Ça se corse, on dirait.

— Tu ne crois pas si bien dire. Yvan va livrer la statue en Corse. Il embarque à Marseille ce soir avec Patrick et Numa.

— Et je présume qu'on y va aussi ? interroge Félix.

— Oui, on ne peut pas laisser Patrick seul avec ce type. Pour l'instant, je vais quitter le bateau pour ne pas le contrarier.

— T'inquiète, je reste. Je me cache sous la couchette. Si le bonhomme tente quelque chose, je t'envoie Patou et tu préviens les gendarmes. Tant pis pour notre fugue.

Ensuite, Rita lui parle du camping-car de Marcel et ça fait tilt chez Félix le surdoué :

— Un camping-car ! Fastoche ! J'ai vu un documentaire où des migrants se cachaient dans les toilettes d'un van. On fera pareil.

À présent, Il faut faire vite. Les deux amis s'enlacent avec maladresse pour se dire au revoir et Rita murmure à l'oreille de Félix :

— Si tu as peur, pense que Rita veille...
— Ça risque d'être compliqué pour elle, soupire le petit garçon. Décapitée au fond de l'eau...

Son amie a un sourire énigmatique, mais elle n'ajoute rien. Puis elle prend le bébé et remonte sur le pont.

— T'en as mis du temps, grogne Yvan.

Sans ménagement, il s'empare du bébé et le cale sous son bras.

— Et maintenant, gare à vous si vous n'obéissez pas ! J'esquinte le gosse.

Enfin, il se tourne vers Rita horrifiée et lui ordonne :

— Toi, tu prends ta bécane et tu te casses. Je veux plus entendre parler de toi.

Pour ménager ce type imprévisible, la fillette lui demande respectueusement :

— Est-ce que Patrick pourrait m'aider à descendre mon tandem sur le quai ? Il est très lourd.
— OK ! Mais faites vite.

Puis, le bébé sous le bras il monte au poste de pilotage.

Pendant que Patrick l'aide, elle lui relate à voix basse sa conversation avec Félix. Puis elle le serre dans les bras en lui chuchotant :

— Sois fort ! Je ne serai pas loin et Rita veille sur nous.

40
Patrick se sent bien seul !

Patrick la regarde enfourcher le tandem puis s'éloigner sur le chemin de halage. Inquiet pour son frère, découragé par ce qui les attend, il se murmure la chanson de sa mère pour se redonner du courage.

Fils ! Il faut rire pour ne pas pleurer.
La vie, c'est à toi de la transformer.
Bouge tes pieds ! Bouge tes pieds !

Ensuite, il monte à la timonerie protéger son frère de ce fou d'Yvan. Cet imbécile a posé le bébé sur le rebord d'un hublot. Il ne le regarde même pas. Le petit est en train de sucer un flacon de parfum. L'enfant a réussi à l'ouvrir, son tee-shirt est trempé. Le bébé sent l'eau de rose à plein nez.

— Mais où il a pris ce flacon, le gosse ? grogne Yvan, furieux. Vous avez fouillé dans les caisses ! rugit-il.

Patrick tente de le calmer :

— On a regardé mais on n'a rien pris. Je te le jure. J'espère que ce n'est pas toxique.
— On règlera ça tout à l'heure ! Va changer ton frère. Cette odeur me donne envie de gerber. Grouille, on va bientôt arriver à l'écluse de Fonseranes, j'aurai besoin de toi.

Patrick regagne les cabines. Félix est caché dans le tiroir sous la couchette mais il pointe son nez lorsqu'il comprend que c'est Patrick.

— Tu m'as fait peur ! J'ai cru que c'était le dingue.

À la vue du jeune garçon, Patrick se sent moins seul pour affronter la suite de l'aventure. Le bébé tape des mains de plaisir en voyant sa petite nourrice. Il n'a pas l'air gêné du tout par l'eau de rose.

Son grand frère le change avant de le confier à Félix puis il remonte.

Le bateau descend vers la ville de Béziers où attendent sans doute Marcel et son camping-car. Posté sur le pont arrière, Patrick plisse les yeux, Il scrute l'horizon pour découvrir Fonseranes, la dernière écluse avant Béziers.
Captain Hue l'a décrite comme une merveille et comme la construction la plus surprenante du canal du Midi avec six bassins et sept portes.

Soudain, un petit point rouge à l'horizon attire son regard. C'est Rita qui pédale tranquillement. Elle ne s'approche pas trop pour ne pas se faire remarquer.

Le garçon va chercher des jumelles pour observer son amie. Il la voit lâcher son guidon et lui envoyer un baiser. Son tatouage est bien visible sur sa main. Il ne lui en a encore rien dit mais il a le même sur les doigts depuis qu'ils ont transporté la statue.

Rita et lui sont unis par le signe du pétale. Alors une bouffée de bonheur l'envahit et sa peur s'éloigne…
Des idées positives remplacent ses craintes : il a trouvé deux amis ; sa famille va être réunie et la guérison de Cap'tain Hue n'est pas impossible.

136

Alors, il se sent fort pour affronter l'avenir. Sans trop y croire, il demande protection à la statue qui dort au fond de l'eau.

Mais les forces de l'esprit auront-elles ce pouvoir ?

41
La fin du voyage en péniche se profile

Du haut du poste de pilotage, Yvan appelle :

— Eh gamin ! Qu'est-ce que tu fabriques ? Tu rêves ? Prépare les amarres. Tu guideras la péniche dans le sas. Où est le mioche ?
— Il dort dans la cabine. Mon chien le surveille.
— Le clébard du capitaine ? Je peux pas le blairer celui-là. Il m'a quasiment bouffé la main, la dernière fois. Prends le gouvernail. Je veux vérifier les caisses avant d'arriver.

Sur le pont arrière, Yvan essaie d'ouvrir la caisse clouée. Il n'y arrive pas et rouspète. Ensuite, il essaie de la soulever.

— Bon sang ! Ça fait son poids cette statue, dit-il en se parlant à lui-même.

Comme l'écluse se rapproche, il remonte rapidement piloter. Quelques centaines de mètres les séparent de la première porte de l'écluse.

Sur le pont, Patrick contemple, émerveillé l'escalier d'eau. Au loin, on aperçoit la ville de Béziers et sa cathédrale.

De l'autre côté du chemin de halage, le grand parking est pratiquement vide à cette époque de l'année. Seuls un grand camping-car flambant neuf et une petite fourgonnette bleue y stationnent côte à côte. Deux hommes sont debout près des véhicules.

Yvan les a vus. Il semble rassuré puisqu'il explique calmement à Patrick que Marcel et son apprenti l'aideront à décharger les caisses.

Après le passage de l'écluse, le boulot de Patrick sera d'amarrer la péniche tout en surveillant son frère.

— C'est pas le moment qu'il fasse des co… ce gosse, déclare-t-il, et maintenant, descends sur le quai et n'oublie pas le cordage.

L'adolescent appréhende beaucoup le passage de cette écluse avec sa succession de cascades. Il va falloir franchir un dénivelé de vingt et un mètres avec sept portes. C'est impressionnant pour un débutant comme lui.

Mais quand Yvan lui crie qu'il n'est qu'un trouillard, il se lance, prend le cordage et saute sur le quai pour accomplir sa manœuvre.

Finalement, Patrick se débrouille comme un pro. Bientôt, les trois cent douze mètres de la première à la septième porte sont passés les doigts dans le nez. Patrick, très fier de lui, regagne la péniche. Il prend la place d'Yvan au gouvernail. Celui-ci saute sur le quai et part à la rencontre de ses amis sur le parking.

Une fois Yvan suffisamment éloigné, l'adolescent appelle Félix qui apparaît en bas de l'escalier avec le bébé.

— Passe-moi Numa et rejoins vite Rita. Ne vous inquiétez pas, ici je gère.

Le petit garçon ne se le fait pas dire deux fois, il saute sur le quai et part en courant vers le tandem de son amie. Patrick est tranquille car Yvan est en train de discuter avec Marcel sur le parking.

Le garçon dirige la péniche loin de l'écluse puis il l'amarre au quai. Ensuite, il installe son frère dans le hamac et attend…

42
Tout le monde part pour Marseille

Les trois hommes arrivent en propriétaires sur la péniche.

Marcel vérifie le contenu de sa caisse puis il demande à son apprenti d'aller la mettre dans la fourgonnette. Le jeune part avec en bougonnant. Il aurait bien aimé voir ce qu'il y avait dans l'autre caisse.

Patrick observe la situation avec inquiétude car il craint qu'Yvan ne veuille montrer la statue à son copain. Heureusement, les hommes sont pressés. Ils soulèvent la lourde caisse et partent la charger dans le camping-car.

Avant de partir, Yvan a donné l'ordre à Patrick de boucler la péniche puis de rejoindre le camping-car.

— Le départ du ferry de Marseille est à 22 h 30. Pas d'entourloupe, mon gars, je t'ai à l'œil et j'ai tes papiers, a-t-il ajouté en les agitant.

Après le départ des hommes, Rita et Félix s'approchent.

Rita dit simplement à Patrick :

— On tente l'aventure avec toi. On embarque à Marseille. On se cachera dans le camping-car pour la traversée. Félix et moi, on va faire Béziers-Marseille en train.
Les garçons approuvent ce plan sans réserve.

Le rendez-vous est fixé au port de Marseille vers 20 h.

Félix plaisante une dernière fois avec Patrick :

— Tu n'as plus Félix pour te protéger mais tu as Patou la terreur du neveu !

Puis le petit garçon grimpe sur le tandem et les enfants pédalent vers la gare de Béziers.

L'adolescent boucle la péniche puis il gagne le parking, le bébé sur le dos. Patou heureux les devance. Yvan au volant du camping-car attend en trépignant d'impatience :

— Montez en vitesse. On a un gros trajet à faire.

Patou gronde et montre les dents. Yvan, effrayé verrouille sa portière comme si l'animal allait l'attaquer. Ce chien noir le terrorise.

— Pas question d'amener ce chien, peste-t-il.
— Si Patou ne vient pas, on ne vient pas non plus, répond courageusement Patrick en faisant mine de repartir.

Yvan est furieux mais il ne peut se permettre d'abandonner les garçons sur un parking sous peine d'avoir les flics sur le dos et de perdre la péniche. Il bougonne dans sa barbe.

— Mets-le derrière avec la caisse et que je ne l'entende pas, sinon…

Les garçons à l'avant à côté du chauffeur, Patou à l'arrière avec la caisse, et les voilà en route pour Marseille par l'autoroute A9.
Ils en ont pour deux heures avant d'arriver au port.

Numa s'est endormi et chauffeur et passager ne s'adressent pas la parole.

Pendant ce temps, Félix et Rita sont arrivés à la gare. Les billets sont pris et le départ pour Marseille est prévu une heure après. Rita s'attarde dans le hall quand Félix lui tape discrètement sur l'épaule. Elle se retourne et voit leur avis de recherche avec photo placardé sur un poteau.

— Faut sortir de là tout de suite ! On montera sur le quai au dernier moment, chuchote-t-elle.

La peur au ventre, ils passent l'heure d'attente dans un square à côté de la gare et Rita en profite pour écrire un mot pour le propriétaire du tandem qu'elle scotche sur le guidon.

Une fois dans le train, ils font une curieuse rencontre. Une belle dame native d'Ajaccio entame la conversation. Les enfants ont l'impression de l'avoir déjà croisée.

Parce que son visage ressemble à celui de Sainte Rita, ils osent lui demander comment aller au port. Elle les renseigne, puis en les quittant à la gare, elle leur adresse un sourire malicieux.

« La protection de la statue continue jusqu'ici », pense Rita sans rien dire.

43
Tout le monde embarque pour La Corse

À l'entrée du port, quai d'Arenc, une file ininterrompue de voitures patiente devant un portail encore fermé. En dernière position dans la file, les enfants aperçoivent le camping-car de Marcel. Mais comment pénétrer dans le véhicule ?

C'est Patou qui va les sauver.

Il a senti leur odeur et le museau à la fenêtre ouverte, il aboie furieusement. Alors que les deux enfants se dissimulent derrière une grosse Ford noire, le chien saute par la fenêtre pour les rejoindre. Les occupants du camping-car ne se sont aperçus de rien.

Rita envoie Patou aboyer à la portière de Patrick. Celui-ci sort pour remettre le chien à l'intérieur. Il ouvre l'arrière du camping et Rita et Félix se précipitent pour entrer avec Patou.

Patrick leur chuchote :

— L'embarquement va commencer. Cachez-vous bien sinon c'est mort. Yvan a tellement peur de Patou qu'il ne viendra pas vérifier derrière.

Une fois dans le camion, Félix s'installe dans les toilettes et Rita s'enfouit sous la couette d'une des couchettes. Le cœur battant la chamade, ils attendent le passage du poste de garde.

Le contrôle se passe rapidement car le personnel connaît bien le neveu du capitaine qui transporte régulièrement des marchandises entre Marseille et Bastia. Quand vient l'embarquement sous un grand hangar, les enfants qui avaient mis le nez à la fenêtre se tapissent à nouveau dans leur cachette. C'est la dernière épreuve avant l'entrée dans l'énorme ferry blanc et bleu au bout du quai.

Félix a peur d'avoir le mal de mer et Rita étouffe sous la couette mais il leur faut patienter...

Le camping-car garé, Yvan sort du garage avec le bébé et Patrick amène Patou au chenil. Il caresse la tête de l'animal :

— Bravo, mon chien ! Quelle bonne idée tu as eue le jour où tu as mordu Yvan !

Pour passer le temps, Rita écrit son journal, cachée sous la couette.

Mercredi 25 septembre

Cher journal,

Voilà nous sommes sur le ferry et demain nous débarquerons à Bastia. La mer a l'air belle. On n'aura pas le mal de mer, c'est déjà super, surtout pour Félix.
Tout s'est vraiment bien passé jusqu'à présent. Pourvu que ça dure...

Je dois te dire tout d'abord, que ça nous rend vraiment service la trouille terrible d'Yvan pour notre chien. C'est notre méga chance.

J'ai pris ma lampe de poche pour écrire. Je n'y vois pas grand-chose et je n'ose pas allumer le plafonnier pour ne pas nous faire remarquer. Alors si ce n'est pas très bien écrit, je te prie de m'en excuser. Je ferai mieux la prochaine fois.

Je ne vois rien mais par contre, j'entends encore du monde dans le garage, vaut mieux ne pas faire de bruit.

On a très chaud dans le ventre du navire et la faim torture nos estomacs vides. Mais heureusement, on ne mourra pas de soif parce qu'il y a de l'eau à l'évier et dans les toilettes. C'est chouette un camping-car ! Plus tard, j'en aurai un et avec je ferai le tour du monde.

Enfin, ça y est, les vibrations du bateau annoncent qu'on quitte le port.

La meilleure solution pour nous, c'est dormir puisqu'on n'a rien à manger. Qui dort dîne comme dit le proverbe.
En plus, on sera en forme demain pour affronter la suite…

Bye, mon journal, je sens que le sommeil me gagne.

Malgré la chaleur, Félix et elle finissent par s'endormir…

La mer est calme et la traversée se déroule sans problème. Un bruit de chaînes tombant à l'eau les réveille. Les passagers commencent à regagner les voitures, les enfants se confinent bien dans leur cachette. Patrick arrive le premier avec le chien pour qu'Yvan et Patou ne se croisent pas.

Ravi de trouver ses deux amis en forme, il leur offre deux petits pains subtilisés au snack.
Puis il explique qu'Yvan livrera la statue ce matin à neuf heures.

— Ça risque de chauffer tout à l'heure, soupire Patrick.

Rita a blêmi en entendant parler de la livraison. Cependant, elle ne révèle rien. Elle préfère garder secrète la résurrection de la statue bien qu'elle ait l'impression de trahir un peu ses amis.

Patrick regagne sa place à l'avant. Il est plutôt confiant car il lui semble que le neveu s'humanise. Il a même joué avec le bébé dans la cabine. Justement, les voilà qui arrivent. Yvan porte le petit sur ses épaules et le bébé rit aux éclats.

Mais que va-t-il se passer à l'ouverture de la caisse ?

44

L'arrivée à Bastia annonce de nouvelles aventures

Après l'ouverture des portes du garage, le débarquement des véhicules se fait sans encombre. Le port de Bastia est beaucoup plus petit que celui de Marseille. Le camping-car gagne rapidement le centre-ville.

Les deux enfants sont prêts à sauter du camion dès que Patrick leur ouvrira la porte. Mais à leur grand désappointement, Yvan ne s'arrête pas. Son rendez-vous avec la confrérie est fixé à neuf heures et il est déjà huit heures trente.

Patrick a demandé une pause pour faire pisser le chien mais le neveu a refusé.

Le lieu du rendez-vous est la chapelle de Monserato, du XVIe siècle avec sa Scala Santa, une réplique de l'escalier saint de Rome.

Sur les hauteurs de Bastia, la petite route menant à la chapelle est tranquille. Elle est bordée d'immenses roseaux. Avant d'arriver à la chapelle, Yvan accepte de se garer sur un petit dégagement taillé au milieu des cannes de roseaux. Il ordonne à Patrick de faire sortir le chien puis ajoute qu'il part au rendez-vous.

— Prends ton temps avec le clébard. Plus il est loin, mieux je me porte. Tu nous rejoindras à pied, c'est à trois cents mètres. Il ajoute, goguenard : je garde le mioche, comme ça je sais que tu viendras.

Patrick ouvre la porte du camion et ses amis heureux sautent sur le chemin puis se dissimulent dans les roseaux. Comme le chien pousse un puissant aboiement, Yvan paniqué démarre en trombe. Ouf ! Ils sont sauvés, mais Patrick est désespéré :

— Il a gardé mon frère. Il faut que je le suive tout de suite ! Vous pouvez repartir à Bastia et aller chercher le Bout du Monde.
— Pas question, rétorque Félix, un pour tous, tous pour un ! On te suit ! Il faut récupérer Numa coûte que coûte.

L'église est au bout de la route. Elle se dresse, blanche et gracieuse avec son clocher en forme de minaret. À côté de la porte, un lévrier de plâtre semble aboyer. Deux bancs de pierre bordent le parvis aux grandes dalles patinées par le temps. Le camping-car est garé devant le parvis.

Le bébé assis au soleil s'amuse à caresser le chien de plâtre. Impossible de prendre l'enfant sans se faire remarquer. Yvan veut sortir la caisse de son camion mais manifestement il a des difficultés. Il appelle Patrick à grands cris :

— P… de gamin, où t'es passé ?
— J'arrive ! J'attache le chien.
— Attache-le loin de moi puis viens m'aider. Cette caisse pèse une tonne et les clients vont arriver.

Patrick attache le chien derrière une haie près de ses amis. Après de gros efforts, Patrick et Yvan déposent la caisse sur un des bancs de pierre. L'homme transpire à grosses gouttes et il marmonne :

— C'est bizarre ! Je ne l'avais pas trouvée si lourde au départ de K. Passe-moi le pied-de-biche dans le coffre que je fasse sauter le couvercle.

Le garçon s'exécute la mort dans l'âme et les trois enfants retiennent leur souffle.

Le couvercle a sauté. Les yeux exorbités, le neveu découvre le contenu hétéroclite de la caisse…

C'est à ce moment précis qu'un 4X4 arrive sur le parking. Yvan tétanisé regarde ses clients sortir de la voiture. Patrick court près de son frère.

Deux hommes et trois femmes vêtus du costume blanc et bleu de leur Confrérie sortent de la voiture. Ils ont le visage réjoui de ceux qui attendent un beau cadeau. La plus âgée du groupe interpelle joyeusement.

— Alors jeune homme, vous nous apportez sainte Rita ?

Puis devant la mine contrariée du transporteur muet, le groupe de Bastiais s'avance. Ils examinent décontenancés les cordages, canettes et bouteilles de cocas… bref, tout ce que Rita a mis à la place de la statue.

— Vous avez fait une erreur de chargement, dit gentiment une des femmes. Où est notre sculpture ?

Yvan sort de sa stupeur. Il vocifère et saisit Patrick par le cou :

— Sale petit voyou ! Tu t'es foutu de moi ! Puis il ajoute plus soft en se tournant vers les Corses.
— Elle était dans cette caisse, mais ce petit voyou a dû la revendre.

Il empoigne plus fort le garçon et le traîne vers la confrérie en hurlant :

— Explique-leur où je déchire tes papiers tout de suite.

150

La Confrérie ne comprend pas la brutalité du transporteur envers cet adolescent. Les femmes s'interposent.

— Sais-tu ce qui est arrivé à notre statue, mon enfant ? demande l'une d'elles à Patrick :

L'adolescent hésite. Il a très envie de dire la vérité, mais il a peur de leur réaction. Finalement, il se décide :

— Je vais vous expliquer, mais je veux d'abord mettre Numa en sécurité auprès de mes amis.

En entendant ces mots, Rita et Félix sortent de derrière la haie avec Patou en laisse. Rita prend le bébé dans ses bras puis elle se place à côté de son ami. Félix se met de l'autre côté avec Patou. Et Patrick raconte l'étonnante noyade de la statue à la Confrérie des Arts.

45
Rita fait des aveux étonnants…

Les Corses écoutent bouche bée les tribulations de l'œuvre d'art. Lorsque Patrick raconte la tête arrachée et la noyade de sainte Rita, les yeux d'une dame se remplissent de larmes puis elle s'affaisse dans les bras d'un de ses compagnons.

Devant ces larmes, Rita a un peu honte de n'avoir rien dit de son secret. Elle sort son journal du sac en expliquant.

— Ne soyez pas triste car la statue n'est plus au fond de l'eau. J'ai tout confié à mon journal. Lis-nous cet épisode, ordonne-t-elle à Patrick.

Et la jeune fille lui tend son journal. Ses deux amis découvrent en même temps que la confrérie que sainte Rita est revenue dans sa niche à la chapelle du canal. Ils sont dépités que Rita ait gardé pour elle cet énorme secret.
La dame aux yeux tristes félicite Rita pour ses talents d'écrivaine est tout le monde se réjouit sans réserve de la résurrection de la sculpture.

Yvan, fou de rage, menace les trois enfants de les dénoncer à la police.

— Pas de ça chez nous, lui dit un des hommes.

Ensuite, on propose aux enfants de leur expliquer pourquoi la Confrérie a acquis l'œuvre d'art.

— Tu pourrais l'écrire sur ton journal, suggère la dame aux yeux tristes à Rita. Entrons. Il fera plus frais.

Dans l'église, le trio découvre un étonnant escalier, recouvert de velours rouge. Trente-trois marches de bois grimpent jusqu'à un autel fleuri. Deux escaliers en pierre de chaque côté permettent de redescendre sur les côtés de cet immense escalier.

Habituellement, les pèlerins gravissent la Scala Santa à genoux en se repentant.

Une petite dame malicieuse invite les enfants à monter la Scala Santa à genoux en demandant une faveur.

— Si on en croit la tradition, ce vœu sera exaucé dans l'année, leur assure un homme.

Chaque enfant s'exécute avec émotion et recueillement.

Patrick ne demande qu'à revoir sa famille et le capitaine, Rita désire retrouver sa mère et Félix voudrait que son frère sorte du coma.

Yvan ne décolère pas, il refuse de grimper l'escalier… vexant à mort la confrérie Bastiaise.

Après le rituel de l'escalier, le trio écoute l'histoire contée par les Corses. Rita prend des notes à toute allure.

Bastia, le 26 septembre

Mon cher journal,

Nous sommes enfin arrivés en Corse et les péripéties s'enchaînent depuis ce matin.

Une dame aux yeux tristes nous raconte la naissance de la Confrérie des arts. C'est passionnant ! Pour me permettre de noter son histoire, elle parle lentement et fait des pauses.

Cette dame corse s'appelle Amalia. On lui a donné ce prénom pour perpétuer une tradition dans sa famille. La première Amalia était italienne, émigrée en Corse après la mort de sa fille sculptrice. La dame corse est la descendante de Nino, le petit-fils d'Amalia l'Italienne.

Devenu adulte, ce Nino est devenu un peintre corse connu.

En souvenir de sa mère, brûlée vive, Nino a créé à Bastia une Confrérie, la confrérie des Arts. Les artistes ou les artisans d'art Corses ou italiens peuvent y adhérer.

Il y a deux ans, Amalia a rencontré à Pistoia, en Italie un jeune chercheur né à K. Il lui a parlé de la statue de sa ville et lui a raconté son étrange histoire.

Il lui a dit quelques mots sur la particularité de la peinture qui recouvrait sainte Rita.

Aussitôt, Amalia la Corse a compris que c'était l'œuvre de son aïeule italienne. Elle a convaincu la confrérie de l'acquérir. Ils l'ont achetée très très cher à la municipalité de K.

C'est pour ça qu'Amalia était effondrée lorsqu'elle a cru que la statue était perdue. Elle pleurait la perte de ses origines et de beaucoup d'argent...

À la fin de son récit, Amalia m'a serrée dans ses bras en disant :

— Merci, jeune fille. Tu m'as redonné espoir.

Mon cher journal, j'arrête d'écrire. Ils sont dehors, je dois les rejoindre. Bye

Le récit d'Amalia a ému les trois enfants. Ils se rendent également compte de la valeur de la statue.

Ils confessent à la confrérie ce qui leur est arrivé en touchant l'œuvre d'art.

Rita montre ses tatouages apparus. À la vue de ce signe, les membres de la confrérie poussent un cri de surprise joyeuse, puis Patrick dévoile le sien.

Félix en rajoute dans le fantastique. Il claironne triomphalement avec une admiration évidente :

— Ma copine s'appelle Rita comme votre statue et elle possède un pouvoir. Elle donne vie aux personnages d'un livre.

À ces mots, la confrérie se met à rire puis reprenant son sérieux un des hommes demande :

— Que faisiez-vous avec le transporteur ? Il ne semble pas beaucoup vous apprécier.
— Il nous a amenés en Corse sans s'en rendre compte. On devait absolument y venir pour chercher quelqu'un, répond Félix d'un air mystérieux.

Nul ne s'est préoccupé d'Yvan pendant cette discussion et il a filé sans demander son reste. Il compte bien être le premier à récupérer la statue.

Il a abandonné les papiers de régularisation de Patrick et Numa sur le lévrier.

46
Une invitation change le cours des choses...

Les trois amis se retrouvent libres mais désemparés. Numa se met à pleurer, il a senti que les grands ne savent plus que faire et il a faim.

Les Corses ont compris que ces jeunes sont à bout de forces et qu'ils ont besoin d'aide. Discrètement, un des hommes vérifie les papiers laissés par Yvan.

Finalement, Amalia attendrie décide d'accueillir les voyageurs chez elle à Patrimonio. Patou, invité aussi aboie de satisfaction. Leur aimable hôtesse estime qu'après un bon déjeuner et du repos, le trio ira beaucoup mieux.

Arrivés dans une magnifique maison du cap Corse, les enfants se détendent. Cela faisait longtemps qu'ils n'avaient pas éprouvé un tel sentiment de sécurité auprès d'adultes compréhensifs. Amalia est un véritable trésor, elle s'occupe du bébé pendant que les trois dévorent de bon cœur un excellent repas.

Le temps d'un repos sans crainte est enfin arrivé.

Le lendemain assis dans le jardin qui domine le golfe de Saint-Florent, les enfants contemplent la mer aussi lisse qu'un miroir.
Quel endroit de rêve cette maison ! Mais ils savent pertinemment qu'ils vont devoir repartir s'ils veulent trouver le Bout du Monde.

Rita s'est isolée pour changer de vêtement. Amalia lui a prêté un maillot de bain. Elle plonge dans le couloir de nage en contrebas du jardin. Mais cela ne l'empêche pas de songer à sa situation. Leur hôtesse a l'air de connaître parfaitement la Corse. Peut-être a-t-elle entendu parler du Bout du Monde ?

Les deux garçons discutent en se prélassant au soleil. Doivent-ils révéler l'existence de la lettre parchemin ? Patrick pense que oui mais Félix craint que la dame ne veuille garder le document.

Pour le petit garçon, ce parchemin n'appartient qu'à son frère Paul.

Finalement, les deux amis se mettent d'accord pour proposer à Amalia de lire le parchemin.

Rita revenue de son bain veut également lui montrer le livre de Paul.

Pendant la discussion, ils n'ont pas vu s'approcher leur hôtesse Elle a entendu une partie de leur conversation et demande :

— De quelle lettre et de quel livre, parliez-vous, les enfants ?

Rita sort la lettre et le livre de son sac puis les tend à leur hôtesse.

Après la lecture du parchemin, Amalia est très émue :

— Merci, mes enfants, cette lettre est écrite de la main d'Amalia mon ancêtre. Grâce à vous, j'ai la preuve qu'elle et Nino ont immigré en Corse pour fuir la prison. Je vous suis vraiment redevable.

Alors Rita ose lui parler de la recherche de sa mère et du Bout du Monde.

— Connaissez-vous un endroit nommé ainsi ? demande-t-elle timidement.

Sans hésitation, Amalia leur parle d'une paillote qui porte ce nom, sur une plage du sud de la Corse. Son propriétaire est un ébéniste renommé. Il fait partie de la Confrérie des Arts. Il est spécialisé dans la construction de cabanes en bois et il travaille dans le monde entier.

En femme énergique, elle prend son portable pour joindre son ami ébéniste. Le téléphone sonne dans le vide...

Elle lui laisse un message pour qu'il rappelle au plus vite. Puis elle se tourne vers les enfants :

— Il voyage beaucoup pour ses constructions mais je suis certaine qu'il va me rappeler.

Les enfants n'en reviennent pas. Tout s'enchaîne. C'est trop beau pour être vrai.

— Nous avons du temps devant nous, reprend Amalia. Racontez-moi tout... J'écris de la littérature pour la jeunesse, vos aventures m'inspireront.

Alors le trio livre ses souvenirs à une auditrice attentive et fascinée.

47
Lettre et tatouages ont d'étranges pouvoirs

Amalia écrit du fantastique, mais les récits de ses trois invités dépassent la fiction qu'elle invente.

Elle savoure avec délectation les aventures de ses jeunes amis.

Quand Rita parle de son don pour animer les illustrations, elle lui tend *Le Bout du Monde*.

— Pourrais-tu me faire une démonstration de tes pouvoirs ?

Rita caresse la couverture éventrée. Rien ne se passe.
Désappointée, l'adolescente tourne les pages mais aucune illustration ne s'anime.

L'adolescente est gênée et Amalia doute :

— Je vous assure, je ne suis pas une mytho. Les personnages bougent d'habitude.

Puis elle regarde ses amis pour chercher du réconfort et de l'aide.

Félix réfléchit rapidement… Avec un sourire discret, il glisse la lettre parchemin dans la couverture abîmée. Sa voix devient impérative.
— Essaie maintenant, commande-t-il à son amie.

Celle-ci effleure à nouveau une page illustrée.

Les personnages bougent enfin. Il semble que la lettre de l'aïeule soit l'auxiliaire indispensable à la manifestation du phénomène.

Amalia désire tester elle-même les pouvoirs de la lettre. Elle la glisse dans un de ses livres dont elle effleure une illustration. Rien ne se passe !

— Essaie-toi, Rita.

Et elle lui tend le livre ouvert sur de monstrueuses créatures marines. Les doigts tatoués de Rita caressent un poulpe géant. Les tatouages clignotent sur l'animal. Le mollusque se déplace, il déplie un tentacule et l'enroule autour du poignet de l'adolescente.

Patrick inquiet appuie alors sur le tentacule avec sa main tatouée. Le tentacule se rétracte et le poulpe va se cacher sous un rocher dessiné.

Un peu sonnés par leur démonstration, sans échanger un mot, Patrick et Rita tendent le livre à Amalia. Elle est enthousiasmée et convaincue des étranges pouvoirs de ses invités.

Épuisés par les émotions, aucun des deux ados ne s'occupe de Félix. Le visage du petit garçon est défait. Il reprend la lettre traduite par son frère et la caresse. Ses larmes coulent…

Pour le consoler, leur hôtesse le serre sur son cœur et lui promet d'aider le trio.

— Demain, nous visiterons la cathédrale Saint-Jean de Bastia. Vous y verrez la copie de votre statue. Ensuite, nous partirons dans le Sud et nous irons au bout du Monde, explique-t-elle.

Le trio reste muet devant ce programme, tout semble simple avec leur nouvelle protectrice.

Justement, Amalia, *Le Bout du monde* entre les mains, réfléchit intensément. Les coïncidences sont trop nombreuses dans cette affaire d'acquisition d'œuvre d'art. Que veut Paul Brio ?

Elle se souvient très bien à présent du chercheur rencontré en Italie. À n'en pas douter, c'est le frère de cet étonnant petit Félix.

L'image d'une gigantesque toile aux fils innombrables s'impose alors.

La statue enchantée en est le centre. Puis gravite autour d'elle.

La jeune fugueuse, partie en quête d'identité ;

Ses compagnons d'aventure, véritable famille d'adoption ;

Un écrivain chercheur dans le coma ;

L'ami d'Amalia constructeur de cabanes dans les arbres.

En ce qui le concerne, Amalia n'en a rien dit aux enfants mais il lui a téléphoné. Il les attend le lendemain à la paillote du bout du monde. Il a des révélations à leur faire.

En tant que présidente, Amalia peut lancer les membres de la Confrérie sur différentes pistes, celles de K. ou celles de Pistoia. Celles de K avec la famille d'accueil de Rita et la fameuse Zita. Celles de Pistoïa avec les possibles descendants du comte de Kalliste.

Mais la première chose à faire est de retrouver la statue dans la chapelle du canal.

De son côté, le trio jubile… Plus qu'une nuit à attendre pour partir au bout du Monde.

Félix a repris son rôle de petit garçon espiègle. Il s'enthousiasme :

— Là-bas, nous trouverons sûrement des infos sur ta mère.
— C'est vrai que j'aimerais savoir qui elle est, mais ma vraie famille je l'ai déjà trouvée. C'est vous deux et bébé Numa.

Amalia est arrivée vers eux sans bruit. En entendant Rita, elle a les larmes aux yeux.

Pour ne pas montrer son émotion, elle les gronde gentiment et leur dit :
« Les enfants, il est grand temps d'aller au lit. Demain, une grosse journée vous attend, riche en surprises, j'en suis sûre. »

Les trois amis regagnent leur chambre et s'endorment rapidement pour être plus vite au lendemain…

Remerciements

J'adresse mes sincères remerciements à Béatrice, Gaspard et à ma grande amie Véronique, mes relecteurs émérites.

Merci également à Gégé qui a cru en moi.

Je dédie ce livre à tous ceux et celles qui veulent espérer que demain sera meilleur, dont mes trois sœurs.

Imprimé en Allemagne
Achevé d'imprimer en octobre 2022
Dépôt légal : octobre 2022

Pour

Le Lys Bleu Éditions
40, rue du Louvre
75001 Paris